DELITOS INFORMÁTICOS Y DELITOS COMUNES COMETIDOS A TRAVÉS DE LA INFORMÁTICA

DELITOS INFORMÁTICOS Y DELITOS COMUNES COMETIDOS A TRAVÉS DE LA INFORMÁTICA

ENRIQUE ORTS BERENGUER
Catedrático de Derecho Penal
Universitat de València

MARGARITA ROIG TORRES
Profesora Ayudante
Universitat de València

tırant lo blllanch
Valencia, 2001

Director de la Colección:
JOSÉ LUIS GONZÁLEZ CUSSAC
Catedrático de Derecho Penal

© ENRIQUE ORTS BERENGUER
MARGARITA ROIG TORRES

© TIRANT LO BLANCH
EDITA: TIRANT LO BLANCH
C/ Artes Gráficas, 14 - 46010 - Valencia
TELFS.: 96/361 00 48 - 50
FAX: 96/369 41 51
Email:tlb@tirant.com
http://www.tirant.com
Librería virtual: http://www.tirant.es
DEPOSITO LEGAL: V - 4389 - 2001
I.S.B.N.: 84 - 8442 - 440 - 5
IMPRIME: GUADA LITOGRAFIA, S.L. - PMc

ÍNDICE

Índice de abreviaturas 11

Nota introductoria 13

Capítulo I
DELITOS CONTRA LA INTIMIDAD

1. Consideraciones generales 17
2. Descubrimiento de secretos e interceptación de telecomunicaciones 20
3. Descubrimiento del secreto informático 30
4. Tipos cualificados o agravados 41
    4.1. En razón de la divulgación 41
    4.2. Por la condición del sujeto activo 42
    4.3. Por la naturaleza de los datos 43
    4.4. Por el fin lucrativo perseguido 45
    4.5. Por la condición de autoridad o funcionario público del sujeto 46
5. Revelación de secreto profesional 48
6. Datos reservados de personas jurídicas 58
7. Requisitos de perseguibilidad 60

Capítulo II
DELITOS CONTRA EL PATRIMONIO

1. Estafas cometidas por medios informáticos 62
2. Defraudaciones del fluido eléctrico y análogas 71
    2.1. Defraudaciones en las telecomunicaciones 72
    2.2. Uso de equipos terminales de telecomunicaciones 75
3. Los llamados «daños informáticos» 77
4. Delitos relativos a la propiedad intelectual 85
    4.1. Tipo básico 85
        A) Modalidad genérica 86
        B) La tenencia, fabricación y distribución de medios idóneos para neutralizar los sistemas de protección de programas de ordenador 95

4.2. Tipo cualificado 98
4.3. Responsabilidad civil 99
5. Delitos relativos al mercado y a los consumidores 102
   5.1. Descubrimiento de secretos de empresa. Su difusión 102
      A) Descubrimiento de secretos de empresa 103
      B) Difusión de los secretos de empresa 107
      C) Regla concursal 108
   5.2. Difusión y utilización del secreto por el obligado a guardar reserva 109
   5.3. Aprovechamiento del secreto de empresa 110
   5.4. Disposiciones comunes a las secciones anteriores 111
   5.5. Publicidad engañosa 112

Capítulo III
DELITO DE AMENAZAS

1. Cuestiones generales 117
2. Subtipo agravado 120
3. Formas de aparición del delito 121
4. La falta de amenazas 122

Capítulo IV
DELITOS CONTRA LA LIBERTAD E
INDEMNIDAD SEXUALES

1. Planteamiento 124
2. Difusión de pornografía infantil a través de la red 126

Capítulo V
DELITOS CONTRA EL HONOR

1. Consideración previa 140
2. Bien jurídico 140
3. Delito de calumnias 141
4. Delito de injurias 142
5. Exceptio veritatis 143
6. Formas de aparición del delito 144
7. Otras cuestiones 145
8. Los delitos contra el honor y las transmisiones electrónicas 146

Capítulo VI
FALSEDADES DOCUMENTALES

1. Concepto y clases de documentos 148
2. Falsedades documentales 151
3. Las falsedades documentales y las transmisiones electrónicas 155
4. Problemas concursales 157

Capítulo VII
OTROS DELITOS

1. Falsificación de las cuentas de una sociedad 158
2. El llamado blanqueo de capitales 160
3. Estragos 160
4. Desórdenes públicos 161

Capítulo VIII
CUESTIONES FINALES

1. Delitos transfronterizos. La responsabilidad de los proveedores de *internet* 162
2. Problemas probatorios 168

Apéndice de disposiciones 171

Glosario 173

Jurisprudencia citada 184

Bibliografía 190

ÍNDICE DE ABREVIATURAS UTILIZADAS

Ar.:	Aranzadi
ATC:	auto del Tribunal Constitucional
CE:	Comunidad Europea
CP:	Código penal
El Der.:	El Derecho
JC:	Jurisprudencia criminal
L:	libro
LL:	La Ley
LO:	Ley orgánica
LORTAD:	Ley Orgánica de Regulación del Tratamiento Automatizado de Datos de Carácter Personal
LPInt.:	Ley de Propiedad Intelectual
núm:	número
RD:	Real Decreto
RDL:	Real Decreto Ley
S:	sentencia
SAP/SSAP:	sentencia/s de la Audiencia Provincial
STJ/SSTJ:	sentencia/s del Tribunal Superior de Justicia
STS/SSTS:	sentencia/s del Tribunal Supremo
STC/SSTC:	sentencia/s del Tribunal Constitucional
ss:	siguientes

NOTA INTRODUCTORIA

El progreso de la tecnología informática ha proporcionado eficaces mecanismos de tratamiento y almacenamiento de datos, al propio tiempo que ha abierto la brecha a nuevas formas de incursión en la esfera jurídica de los ciudadanos, a través de la llamada criminalidad informática, en principio limitada a las modalidades delictivas tradicionales (falsificación de tarjetas de crédito, robo de programas de ordenador, etc.), pero que se ha ido sofisticando y profesionalizando, dando lugar a una piratería creativa que va más allá de la delincuencia económica, al perseguir también objetivos de carácter lúdico, político, etc. (Vidal-Beneyto); factores que no sólo incrementan las dificultades para la detección de estas conductas sino que implican, además, una notable ampliación del abanico de bienes jurídicos susceptibles de ser dañados.

Por ello, en un tiempo en el que las transmisiones electrónicas todavía no entrañaban los riesgos que hoy encierran, el artículo 18.4 de la Constitución española determinó la necesidad de limitar su uso para garantizar los derechos fundamentales de los ciudadanos, disposición que aun cuando no comporta la intervención penal en este ámbito (Boix Reig; en contra, Luzón Peña), ha dado lugar a la aplicación de sanciones punitivas a determinadas vulneraciones producidas mediante la utilización abusiva de los ordenadores; cuya justificación queda hoy fuera de duda, en vista de la extraordinaria capacidad lesiva de la nueva tecnología informática (Luzón Peña; Jareño Leal/Doval Pais). Y así empezó a hablarse de delincuencia informática y de delitos informáticos, y nació la preocupación por este reciente fenómeno.

Ahora bien, pese al extendido uso de la expresión «delitos informáticos», tal denominación no se utiliza en ninguno de los tipos previstos en el Código penal, ni en otras leyes especiales, diferenciándose, así, de otros ordenamientos jurídicos, como el de algunos estados norteamericanos. En nuestro Derecho la informática constituye, comúnmente, un medio comisivo a través del cual pueden lesionarse distintos bienes jurídicos, tales como el patrimonio, la propiedad industrial e intelectual, la intimidad, amén de otros intereses también tutelados frente al empleo torticero de los nuevos sistemas de tratamiento mecanizado de datos. No obstante, en algunas infracciones el objeto material lo integran los propios sistemas o soportes informáticos, como así ocurre con alguna modalidad específica del delito de daños o con los relativos a la propiedad intelectual en los que ésta recae sobre un programa de ordenador. Probablemente, por esta heterogeneidad de bienes, las infracciones relacionadas con la informática no están reguladas en un único epígrafe, sino que se hallan dispersas a lo largo del articulado del Código, de modo que será la interpretación de cada uno de los tipos la que nos permitirá concluir si estamos o no ante una conducta punible, incardinable en la citada categoría de «delitos informáticos»; para cuyo estudio encontramos, junto a la dificultad consustancial a la dispersión normativa, otras de carácter pragmático derivadas, sobre todo, de la complejidad tecnológica que encierra en estos casos el instrumento del delito.

En efecto, los avances de la técnica hacen muy difícil no sólo el descubrimiento de estas infracciones y la identificación de su autor (debe notarse que existen técnicas dirigidas a preservar las comunicaciones vertidas en la red, como la *criptografía* o la firma digital, que permiten el cifrado de los mensajes, impidiendo leerlos a terceros y dificultando, por tanto, el control de los contenidos ilícitos —Morales Prats, 2001; Ruiz Marco; Tiedemann; Roßnagel— y que hay, además, programas específicos —*zappers*— que se ocupan de borrar las huellas dejadas en los sistemas atacados) (vid., el vocabulario seleccionado al final del libro), sino también la previsión acorde con el principio de seguridad jurídica de todas las posibles modalidades comisivas, en continua expansión debido a la celeridad con que se suceden las innovaciones en este campo. Por cuanto, las exigencias de taxatividad llevan al legislador a perfilar las posibles conductas delictivas con un mínimo —debería ser con un máximo— de precisión, con lo cual pueden quedar orillados no pocos de los ardides que en este campo puedan idearse. A lo que también contribuye el hecho de que, como veremos, en las normas así elaboradas suelen utilizarse conceptos normativos, para cuya concreción resulta necesario acudir a la legislación civil y administrativa, de la que se da cuenta en el apéndice final de esta obra.

En las páginas que siguen vamos a ocuparnos de los delitos que contienen una mención explícita, más o menos concreta, a los sistemas o soportes informáticos, así como de otras infracciones para cuya comisión pueden utilizarse también mecanismos de esta naturaleza, trayendo a colación diferentes conductas por medio de las cuales se cuestionan los bienes tutelados en aquéllas a fin de ver si tienen encaje en las mismas. Bien entendido que escapa a las pretensiones de este trabajo la realización de un estudio acabado de todos y cada uno de los delitos que tienen o pueden tener que ver con las transmisiones electrónicas, que requeriría de la realización de una veintena de extensas monografías. Antes al contrario, hemos contraído el objeto de esta obra a la exposición, algo más que esquemática, de los diferentes delitos que cabe relacionar de alguna forma con la informática, para a continuación ocuparnos de hechos surgidos al abrigo de ésta, susceptibles de ser subsumidos en dichos delitos, y señalar su compatibilidad o incompatibilidad con ellos.

No queremos terminar esta nota introductoria sin expresar nuestro agradecimiento a Daniel Ferrandis Ciprián, doctorando del Departamento de Derecho Penal de la Universitat de Valencia, por sus valiosas indicaciones y aclaraciones que nos han permitido comprender mejor el complejo mundo de las transmisiones electrónicas.

***

Tratándose de una obra en colaboración, los autores se responsabilizan del contenido total de la misma, pero cabe subrayar que el capítulo primero y los epígrafes 1-4 del segundo han sido redactados por Margarita Roig, y el resto, por Enrique Orts.

Capítulo I

DELITOS CONTRA LA INTIMIDAD

1. CONSIDERACIONES GENERALES

En las páginas anteriores hemos aludido a los peligros potenciales que entraña la tecnología informática para los derechos de los ciudadanos, inconvenientes que se ponen especialmente de manifiesto en los delitos que afectan a la intimidad, no sólo por la facilidad con que puede vulnerarse este derecho a través de las nuevas técnicas, sino, también, porque la mecanización de datos permite obtener información relevante sobre las personas registradas en los sistemas informáticos mediante la combinación de elementos que individualmente pueden resultar intrascendentes. De esta suerte, la conjugación de los datos concernientes a la identidad de un sujeto con otros, como los relativos a la profesión, nivel económico, tendencias en el consumo, preferencias culturales, etc., permiten conocer caracteres de su personalidad que podrán utilizarse con muy diversos fines (comerciales, laborales, políticos, etc.). Información, hay que añadir, cuya obtención no resulta difícil, sobre todo respecto de los usuarios de servicios *Web* disponibles en *Internet,* para lo cual basta con combinar los datos requeridos para acceder a los mismos con el tipo de servicios consultados.

Por todo ello, el Tribunal Constitucional, en diversas resoluciones, ha subrayado la necesidad de proteger la intimidad frente a las intromisiones producidas a través de la informática, sin contraer, por otra parte, esta tutela a los aspectos más reservados de la persona, extendiéndola a todos aquellos datos que conforman lo que se conoce como «privacidad»: el derecho a la intimidad, ha dicho, deriva de la dignidad de la persona (SSTC 73/1982, de 2 de diciembre, y 231/1988, de 2 de diciembre; y ATC 642/1986, de 23 de julio); para cuya tutela no basta hoy con garantizar la inviolabilidad del domicilio y de la correspondencia, pues, los avances de la tecnología actual y el desarrollo de los medios de comunicación de masas hacen necesario el reconocimiento global de un derecho a la intimidad o a la vida privada que abarque las intromisiones produci-

das por cualquier medio (STC 110/1984, de 26 de noviembre).
De acuerdo con estas premisas, la llamada «privacidad informática» no se concibe sólo desde un prisma negativo, como
prohibición de injerencias externas en el ámbito de la intimidad, sino también como «habeas data» o libertad informática;
esto es, como derecho de control sobre los datos personales
informatizados —entendiendo por tales los que conciernen a la
persona, a su privacidad, pertenezcan o no al ámbito más
estricto de la intimidad— (aspectos proclamados por la STC
254/1993, de 20 de julio, y reiterados en diversas resoluciones
posteriores —SSTC 11/1998, de 13 de enero, 94/1998, de 4 de
mayo, 104/1998, 18 de mayo, y 44/1999, de 22 de marzo, entre
otras—). Este derecho es hoy un derecho fundamental, que
halla su cobertura legal en el artículo 18.4 de la Constitución:
«además de un instituto de garantía de otros derechos, fundamentalmente el honor y la intimidad, es también, en sí mismo,
un derecho o libertad fundamental: el derecho frente a las
potenciales agresiones a la dignidad y a la libertad de las
personas provenientes del uso ilegítimo del tratamiento mecanizado de datos» (STC 11/1998, de 13 de enero).

Pero, recientemente, en la sentencia 292/2000, de 30 de
noviembre, el intérprete de la Constitución ha ido más allá de
esas afirmaciones, diferenciando claramente el derecho de
control de los datos personales del derecho a la intimidad
reconocido en el artículo 18.1 de la norma fundamental, confi-
gurándolos como dos derechos fundamentales autónomos,
que se distinguen tanto por su función, como por su objeto y
contenido: «la función del derecho fundamental a la intimidad
del artículo 18.1 es la de proteger cualquier invasión que pueda
realizarse en aquel ámbito de la vida personal y familiar que la
persona desea excluir del conocimiento ajeno y de las
intromisiones de terceros contra su voluntad. En cambio, el
derecho fundamental a la protección de datos persigue garantizar a esa persona un poder de control sobre los suyos personales, sobre su uso y destino, con el propósito de impedir su
tráfico ilícito y lesivo para la dignidad y derecho del afectado».
Además, su objeto es más amplio que el derecho a la intimidad,
ya que no se reduce sólo a los datos íntimos de la persona, sino
a todos los bienes de la personalidad imbricados en la vida
privada, protegiendo cualquier tipo de dato personal; esto es,

todos aquellos que identifiquen o permitan la identificación de la persona, pudiendo servir para la confección de un perfil ideológico, racial, sexual, económico o de cualquier otra índole, o que sirvan para cualquier otra utilidad que en determinadas circunstancias constituyan una amenaza para el individuo. Finalmente, varía también su contenido, pues, mientras el derecho a la intimidad personal y familiar confiere a la persona el poder jurídico de imponer a terceros el deber de abstenerse de toda intromisión en su esfera íntima y la prohibición de hacer uso de lo así conocido, el derecho a la protección de datos atribuye a su titular un haz de facultades cuyo ejercicio impone a terceros deberes jurídicos; en concreto, el derecho a que se requiera el consentimiento para la recogida y uso de los datos personales, el derecho a saber y ser informado sobre su destino y uso de esos datos, y el derecho a acceder, rectificar y cancelar dichos datos; en definitiva, el poder de disposición sobre los datos personales (en consecuencia, declara la inconstitucionalidad del último inciso del *artículo* 21.1 de la Ley orgánica de protección de datos, en el que se permitía que una norma de rango inferior a ley autorizase la cesión de datos entre administraciones sin previo consentimiento del afectado; y la cláusula del artículo 24.1 de la misma ley que concedía a la administración la facultad de privar al interesado de información relativa al fichero y sus datos, invocando los perjuicios que semejante información puede acarrear a la persecución de la infracción administrativa; considerando que estas normas eran gravemente restrictivas del derecho a la intimidad y a la protección de datos. En igual dirección, la STC 290/2000, de 30 de noviembre, reconocía este derecho fundamental «a la autodeterminación normativa»; vid. un comentario a estas sentencias en Álvarez-Cienfuegos).

Naturalmente, esa distinción entre intimidad y derecho de control de los datos personales no implica que la salvaguarda de todas las facetas de la vida privada se realice por medio del Derecho penal, cuyo carácter fragmentario y subsidiario determina que las sanciones punitivas se reserven para los atentados más graves contra la intimidad, mientras que para las demás vulneraciones deben preverse sanciones de índole civil, administrativa, etc. En concreto, el Código penal consagra a la tutela de la intimidad principalmente los artículos 197 y siguientes, que pasamos a examinar.

2. DESCUBRIMIENTO DE SECRETOS E INTERCEPTACIÓN DE TELECOMUNICACIONES

Este delito se prevé en el artículo 197.1, en los siguientes términos:

> Artículo 197.1: «*El que, para descubrir los secretos o vulnerar la intimidad de otro, sin su consentimiento, se apodere de sus papeles, cartas, mensajes de correo electrónico o cualesquiera otros documentos o efectos personales o intercepte sus telecomunicaciones o utilice artificios técnicos de escucha, transmisión, grabación o reproducción del sonido o de la imagen, o de cualquier otra señal de comunicación, será castigado con las penas de prisión de uno a cuatro años y multa de doce a veinticuatro meses*».

a) Bien jurídico protegido

El bien jurídico protegido en esta norma se cifra en la intimidad, y ocioso es decir que para la concurrencia de esta infracción es necesaria la causación de una ofensa a ese derecho, como precisa el legislador al exigir el elemento subjetivo que encabeza todas estas conductas («el que para descubrir los secretos o vulnerar la intimidad de otro»). Por lo tanto, aun cuando en algunas de ellas puede verse implicado, además, el derecho a la propia imagen, que goza de autonomía constitucional (lo que, seguramente, dio lugar a su mención expresa en la rúbrica del título X del Libro II), la violación del mismo sólo será punible cuando las imágenes captadas afecten a la intimidad de una o varias personas. En consonancia con ello, las acciones descritas han de recaer sobre datos, documentos, efectos, imágenes o sonidos, relevantes para la intimidad, con independencia, como veremos, de que el autor llegue o no a tener conocimiento de algún aspecto entrañable. Así parece entenderlo, también, el Tribunal Supremo cuando afirma que el bien jurídico protegido lo constituye «no tanto el derecho de propiedad sobre la carta o papel —ahora habría que añadir, de acuerdo con el tenor de este precepto, los mensajes o documentos de carácter electrónico— como el secreto de la correspondencia u otros papeles, secreto que constituye una de las necesidades más vitales de la libertad individual o una parcela importante de las humanas libertades» (STS de 8 de marzo de 1974 —Ar. 1231—).

Ahora bien, el concepto *intimidad* no es interpretado de forma unánime por la doctrina, identificándolo un sector de opinión con la «privacy», o privacidad, mientras otros autores configuran ambos derechos como círculos concéntricos, en los que la intimidad abarca tan sólo algunos aspectos de la vida privada; postura que suele mantenerse por los penalistas con la finalidad de restringir el objeto de protección, de acuerdo con el principio de intervención mínima. A su vez, ambos términos se definen atendiendo al carácter secreto de los datos personales, pese a que, como pone de manifiesto Morales Prats, el concepto «secreto» tiene su origen en la concepción preindustrial y ruralista de la intimidad, desconociendo las formas de intrusión en la vida privada que el desarrollo de la tecnología genera, pues la llamada «privacidad informática» no consiste únicamente en el derecho a que determinados datos no sean conocidos por otros sujetos diferentes a su titular, o por un círculo reducido de personas a las que éste decide hacer partícipes, sino que comprende, además, el derecho de control sobre la información reservada, o lo que es igual, la facultad de decidir sobre el uso de esos datos y de impedir que se empleen para fines distintos a los que justificaron su tratamiento informático, (un ejemplo lo encontramos en la STC 94/1998, de 4 de mayo, en la que se reconoce el amparo al recurrente, cuya afiliación sindical, comunicada con la única finalidad lícita de que la empresa descontara de su retribución su cuota sindical, fin objetivo del tratamiento informático, se usó para un propósito radicalmente distinto: retener la parte proporcional del salario correspondiente al periodo de huelga).

Así, en la doctrina alemana se suelen diferenciar varias esferas dentro de la privacidad, en función del número de personas a las que se desvela un concreto aspecto personal. Un claro exponente de esta tendencia fue Henkel, quien distinguió entre la *Privatsphäre,* en la que incluyó aquellas parcelas de la privacidad que el sujeto desea trasciendan al dominio público (por ejemplo, el derecho a la propia imagen); la *Vertrauensphäre,* que comprende determinados datos cuyo titular desvela a personas de particular confianza (médico, persona destinataria de una carta, etc.); y la *Geheimsphäre,* en la que situaba aquellos eventos que una persona excluye del conocimiento de todos los demás individuos (por ejemplo, secretos documentales). E, igualmente, en nuestro país algunos autores conciben la intimidad como algo más estricto y reservado que la privacidad, de la que forman parte determinadas vertientes, como la profesional, la económica, etc., que por ser conocidas o cognoscibles por un círculo mayor de personas deben quedar excluidas del primer concepto. Esta dualidad se recogió, también, en la Exposición de Motivos de la derogada LORTAD: «aquélla —la privacidad— es más amplia que ésta —intimidad—, pues en tanto la intimidad protege la esfera en que se desarrollan las facetas más singularmente reservadas de la vida de la persona —el domicilio donde realiza su vida cotidiana, las comunicaciones en las que expresa sus sentimientos, por ejemplo—, la privacidad constituye un conjunto, más amplio, más global, de facetas de su personalidad que, aisladamente consideradas, pueden carecer de significación intrínseca pero que, coherentemente enlazadas entre sí, arrojan como precipitado un retrato de la personalidad del individuo que éste tiene derecho a mantener reservado». Distinción que el Tribunal Constitucional ha acogido en alguna resolución, como la STC 94/1998, de 4 de mayo («el artículo 18.4 de la Constitución consagra un derecho fundamental autónomo a controlar el flujo de informaciones que conciernen a cada persona —a la privacidad según el nelogismo que reza en la Exposición de Motivos de la LORTAD—, pertenezcan o no al ámbito más estricto de la intimidad, para así preservar el pleno ejercicio de sus derechos»); o más claramente, en la reciente STC 292/2000, de 30 de noviembre, a la que antes nos hemos referido. (Vid., ampliamente sobre los conceptos de intimidad y privacidad, Morales Prats, 1984; y Montón García, entre otros).

Hechas estas apreciaciones, conviene tener presentes las siguientes ideas respecto a lo que deba entenderse por intimidad en el ámbito punitivo:

– primero, que no puede darse una definición precisa de este término, dado que los aspectos que integran la intimidad son muchos y cambiantes, variando la noción de lo íntimo o personal de unas épocas a otras y de unos a otros sistemas;

– segundo, que ya se equiparen los términos intimidad y privacidad, o ya se conciba el primero de un modo limitado, incluyendo en él tan sólo algunos aspectos de la vida privada, el bien jurídico protegido en los delitos contra la intimidad ha de definirse en términos restrictivos, comprendiendo en él únicamente los pormenores más reservados de la persona; entendiendo por tales aquellos que sólo son conocidos por su titular, o por un número reducido de personas, y que aquél desea no trasciendan fuera de esa esfera limitada, de acuerdo con la concepción social imperante sobre lo que se considera personal e íntimo (correspondencia privada, salud, ideología, vida sexual, etc.);

– tercero que, de conformidad con lo anterior, las vulneraciones de los datos relativos a las relaciones sociales de las personas (económicos, profesionales, etc.) sólo podrán dar lugar a un delito contra la intimidad cuando de dichos conocimientos se deduzcan elementos relevantes sobre la vida íntima personal o familiar de aquéllas (SSTC 142/1993, de 22 de abril; y 143/1994, de 9 de junio); y

– cuarto, que la referencia a los datos «secretos» contenida en los artículos 197 y siguientes ha de ponerse en relación con el bien jurídico protegido en dichas normas, de modo que únicamente se estimarán reservados aquellos detalles que afecten a la esfera personal más estricta. Igualmente, la violación del *habeas data* en su vertiente positiva, como derecho de control sobre los datos personales informatizados, tan sólo dará lugar a una infracción penal cuando se vulnere alguna información íntima, en el sentido apuntado, o se afecte a otro valor protegido penalmente (capacidad competitiva de las empresas, etc.).

b) Sujetos

El sujeto activo de este delito es indiferenciado, toda vez que no se precisa ninguna cualidad específica en quien lo comete, lo que separa a esta infracción de determinados tipos especiales, como los contenidos en los artículos 198, ó 534 a 536, en los que se describen también vulneraciones de la intimidad, realizadas por autoridades o funcionarios públicos, diferenciándose según actúen como particulares (es decir, fuera de los casos permitidos por la ley y sin mediar causa por delito), pero prevaliéndose de su cargo, o en el ejercicio de sus funciones, si bien con violación de las garantías constitucionales o legales. E, igualmente, está discriminado el sujeto activo en el delito regulado en el artículo 197.4, referido a encargados o responsables de ficheros o soportes informáticos.

Sujeto pasivo lo será la persona, física o jurídica, titular del documento o efecto cuyo contenido presenta carácter reservado (STS de 8 de marzo de 1974 —Ar. 1231—). A este propósito, es de notar que el precepto citado hace coincidir la titularidad del objeto material con la del secreto, sin reflejar aquellos supuestos en los que la carta, mensaje, etc., contenga apuntes relativos a un tercero, a quien en principio no se podrá considerar sujeto pasivo, sino únicamente perjudicado civil; con las repercusiones que esa omisión conlleva, sobre todo, a efectos de la persecución del delito, que en el artículo 201 se conforma como semipúblico (o semiprivado), requiriéndose denuncia de la persona agraviada (vid. Alonso Rimo).

c) Conducta típica

Las conductas punibles han de estar dirigidas a descubrir los secretos o vulnerar la intimidad de otros. Es secreto, según el diccionario de la Real Academia de la lengua, lo que cuidadosamente se tiene reservado u oculto; pero, a efectos penales no basta el deseo de quienes lo comparten de mantenerlo reservado: ese conocimiento ha de recaer sobre parcelas de la intimidad; esto es, sobre aspectos de la vida de una persona que la generalidad de los miembros de la comunidad consideran debe permanecer ignoto para los demás. Se trata, por ende, de un concepto que ha de vertebrarse sobre criterios de adecuación social, sin que baste para su fijación la voluntad del titular de los datos o documentos (de esta opinión, Morales Prats, 1999).

De las conductas tipificadas en el artículo 197.1, nos centraremos en aquellas que pueden cometerse por medios informáticos, en concreto, la *interceptación* (apoderamiento) *de telecomunicaciones,* entre las que se encuentra la transmisión electrónica de datos, y el *apoderamiento de mensajes de correo electrónico*. Lo primero que llama la atención en estas descripciones es la reiteración que se produce en cuanto a las infracciones que recaen sobre señales codificadas que funcionan a través de un ordenador, y ello sin contar con que algunas de esas acciones tendrían encaje también en el apartado siguiente, si no fuera porque se mencionan expresamente en este número, de acuerdo con un criterio aglutinador de toda suerte de correspondencia.

Precisamente, tratando de dar respuesta a tal maraña legal, un sector de nuestra doctrina (Morales Prats, 1999) ha mantenido una interpretación restrictiva de la segunda cláusula (apoderamiento de mensajes de correo electrónico), limitándola a aquellos comportamientos que estriban en la aprehensión física de mensajes una vez impresos, así como a la captación intelectual de los mismos, incardinando en el primer inciso la violación, en cualquier otra forma (por ejemplo, vulnerando el *password* o clave de acceso), de la correspondencia electrónica.

Mas, no es ésta la única exégesis que cabe hacer de este precepto, si atendemos al significado gramatical de los términos empleados por el legislador. Así pues, mientras el verbo *apoderarse* expresa, en general, la acción de adueñarse de algo, *interceptar* denota, además, que ese apoderamiento se lleva a cabo antes de que llegue al lugar o a la persona a los que se destina. De acuerdo con ello, el acceso no consentido al correo electrónico de un tercero, una vez recibido por este destinatario, parece tener mejor encaje en el primer verbo genérico, de modo que el *apoderamiento de mensajes de correo electrónico* comprenderá tanto la aprehensión de los ya impresos como su obtención mediante la entrada en el ordenador en el que se encuentren registrados; interpretación, además, que parece acorde con la alusión expresa a esta clase de correspondencia, cuya vulneración suele realizarse a través del propio sistema informático. Por otra parte, el uso de ese verbo, en lugar de otros que, en relación con los datos informáticos, resultarían más precisos (acceder, etc.), resulta justificado teniendo en cuenta el carácter heterogéneo de los soportes a los que está referido (papeles, cartas, mensajes de correo electrónico o cualesquiera documentos o efectos personales). En coherencia con lo anterior, la interceptación de telecomunicaciones quedará reservada a aquellas transmisiones en que se conozca la información durante el transcurso de la comunicación entre las partes, (por lo que aquí interesa, sería incardinable en esta modalidad típica la utilización de programas informáticos que interceptan las telecomunicaciones que se están llevando a cabo mediante video conferencia, a través de un *chat* privado, etc.; en este sentido, señala el Tribunal Supremo que con la tipificación de tal conducta se tutela la intimidad cualquiera que sea la tecnología empleada para comunicarse — STS de 22 de marzo de 2001, El Der., 2001/1409—).

En cualquier caso, se trata de una cuestión puramente semántica, sin repercusiones prácticas, toda vez que tanto los presupuestos como la sanción aplicable coinciden en ambos supuestos, lo que no empece para que consideremos conveniente una simplificación de los comportamientos típicos en aras de una mayor taxatividad y seguridad jurídica.

Sin embargo, debemos significar que para que concurra este delito es necesario que el autor realice una acción física dirigida a obtener los datos secretos. De lo contrario se llegaría a soluciones tan inverosímiles como la posibilidad de aplicar una pena de prisión de hasta cuatro años a quien se limitase a leer mensajes, cartas, etc. que el interesado hubiese dejado al alcance de terceros (por ejemplo, al olvidar cerrar un *e-mail* contenedor de un mensaje privado, de forma que sea posible su lectura sin vulnerar el *password*, o al dejar una carta personal abierta sobre la mesa, que es leída por alguien), solución que ha de rechazarse, aún admitiendo que la lesión de la intimidad puede ser mayor que en aquellos supuestos en que existe aprehensión física del documento, o violación de la clave de acceso (pues, como veremos, en estas hipótesis el delito se entiende consumado con el mero apoderamiento, sin que sea necesario el efectivo conocimiento del secreto). Mas, si el sujeto, aprovechando la negligencia ajena, realiza algún acto dirigido al apoderamiento de la información reservada (en los ejemplos anteriores, fotocopiar el documento, fotografiar, imprimir o grabar el *e-mail*, etc.), habría que considerar típica la conducta, aun cuando no se llegase a descubrir ningún aspecto reservado, (v.gr., en la SAP de Alicante, de 22 de marzo de 1999 —El Der., 1999/10834—, se condenó al acusado por un delito de descubrimiento y revelación de secretos de los artículos 197.1 y 3 y 200, porque, aprovechando el descuido de un empleado de una sucursal bancaria, fotocopió un documento confidencial de la entidad relativo al activo y pasivo de la misma, entregándolo más tarde a un periodista que lo publicó en un diario local).

Desde esta óptica, la visualización y retención en la memoria de la correspondencia privada no será punible si no va precedida de una actuación positiva del autor dirigida a apropiarse del contenido de la misma, en concreto, por lo que hace a los mensajes de correo electrónico, de la entrada en el sistema informático en el que se hallen registrados.

En cambio, sí serán subsumibles en esta modalidad típica, los actos de apoderamiento que se lleven a cabo a través de mecanismos informáticos, como es el caso de los denominados *sniffers,* es decir, programas rastreadores que capturan la información que viaja a través de la red, posibilitando el acceso al correo electrónico de sus usuarios. El carácter clandestino de estos mecanismos dificulta en muchos casos su detección, y la identificación de su autor (dado que se trata de aplicaciones pasivas que no suelen dejar huellas). Pero, una vez vencidos esos escollos prácticos, la aplicación de este precepto no plantea problemas, en la medida en que la intención de vulnerar la intimidad ajena se hace patente con la utilización subrepticia de tales instrumentos.

Un supuesto problemático ha sido resuelto por el Tribunal Superior de Cataluña, en sentencia de 14 de noviembre de 2000, en la que se reconoce como procedente el despido de un empleado del *Deustche Bank* de Barcelona que utilizaba el correo electrónico de la entidad para enviar mensajes privados. El particular ámbito en el que se desarrollaron los hechos llevó a considerar legítimo el control de la correspondencia privada efectuado por el empresario, en la medida en que dicha actuación estaba dirigida a garantizar el correcto cumplimiento de las obligaciones laborales por parte de los trabajadores. Ciertamente, no puede negarse que en estos casos existen intereses del empresario dignos de ser tutelados, no sólo evitar que gastos particulares de los empleados se carguen a la empresa y que el tiempo de trabajo se invierta en gestiones privadas (Bonilla Blasco), sino, también, impedir el envío de información delictiva que pueda comprometer a la empresa (v.gr., archivos con material pornográfico, de contenido injurioso, contenedores de virus, etc.); ni cabe obviar que el empleado se halla en el centro de trabajo, durante su horario laboral, y haciendo uso de un instrumento de la empresa, lo que determina que las comunicaciones que aquél realice deben referirse, exclusivamente, a su actividad profesional. Motivos que en otros países han llevado a aprobar leyes específicas (como la *Electronic Communications Privacy Act de 1986,* de EEUU, y la *Regulation of Investigatory Powers Act* 2000, del Reino Unido) en las que se autoriza a los empresarios a interceptar las comunicaciones realizadas por los trabajadores de la entidad.

Con todo y con ello, desde el momento en que se ve afectado un derecho fundamental —intimidad— del empleado (Marc Carrillo), esas facultades de supervisión no pueden sino articularse de un modo muy restringido, limitándolas a la mera comprobación del destino del mensaje, sin que puedan entrañar una autorización arbitraria para conocer el contenido privado de la correspondencia del dependiente (vid., sobre este tema, Ruiz Marco).

d) Aspecto subjetivo

Para que concurra el tipo se requiere la presencia de un elemento subjetivo del injusto: el sujeto activo ha de llevar a cabo la conducta «para descubrir», esto es, con la finalidad de conocer los secretos de otro o vulnerar su intimidad —*animus scienci*—, (en este sentido, las SSTS de 10 de septiembre de 1997 —Ar. 6375—, y 29 de septiembre de 1998 —Ar. 6974—. Y también la SAP de Asturias, de 27 de julio de 1998 —Ar. 4821—, y la SAP de Alicante, de 22 de marzo de 1999 —Ar. 612—). Sin embargo, en el artículo 197.1 no se contiene cláusula alguna de la que se desprenda la necesaria concurrencia del propósito añadido de revelar la información obtenida, finalidad que el legislador sí exige de modo expreso en otros delitos. (En contra, Manzanares Samaniego, para quien la expresión «para descubrir» encierra esta doble intencionalidad). En consecuencia, hay que entender que la mera intención de averiguar datos reservados de otro basta para colmar el citado elemento subjetivo.

En la práctica forense, se ha negado en algunas resoluciones, ciertamente discutibles, que concurra este elemento en quien realiza alguna de las acciones típicas con la finalidad de utilizar los datos obtenidos como prueba en un proceso judicial (SAP de Málaga, de 2 de marzo de 1999 —Ar. 1163—; en concreto, uno de los cónyuges implicados en un procedimiento de separación matrimonial había obtenido ilícitamente la documentación acreditativa de los ingresos económicos de su consorte para aportarlos a dicha causa).

Por lo demás, la exigencia de una intencionalidad especial en el sujeto activo trasciende al ámbito de la culpabilidad, implicando la presencia de dolo directo, de suerte que no sólo se imposibilita la comisión imprudente del delito sino también su realización con dolo eventual.

e) Especiales formas de aparición del delito

La redacción de este precepto no deja lugar a dudas en cuanto a que para la consumación del delito es suficiente el apoderamiento de papeles, cartas, mensajes, etc. ajenos, inspirado por el elemento subjetivo apuntado, sin que se precise el descubrimiento efectivo de ningún aspecto entrañable. Y así lo entiende de forma unánime la doctrina (entre otros, Bajo Fernández/Díaz-Maroto; Carbonell Mateu/González Cussac, 1996, 1999; Cobo del Rosal; López Barja de Quiroga/Pérez del Valle; Morales Prats, 1999; Muñoz Conde; y Polaino Navarrete). Ahora bien, como al abrigo de esta estructura típica algunos autores han mantenido la incriminación, incluso, de determinadas acciones recayentes sobre documentos o mensajes desprovistos de un contenido secreto, parece conveniente distinguir aquí entre aquellos supuestos en los que, pese a no obtenerse la información perseguida, se ha producido una ofensa concreta a la intimidad ajena (por ejemplo, cuando el sujeto activo imprima, grabe, etc. los mensajes de correo electrónico de otra persona de carácter reservado, sin llegar a tener conocimiento de los mismos), hipótesis en las que, de acuerdo con el tenor del artículo 197.1, habrá de entenderse consumado el delito; y aquellos otros en que la acción recaiga sobre documentos o mensajes con un contenido trivial (por ejemplo, los *e-mails* en los que simplemente se advierte al receptor de la posible existencia de un *virus* en la red, se le informa de determinadas ofertas comerciales, etc.), y entonces la conducta deberá considerarse atípica, en la medida en que no recae sobre un elemento relevante para el bien jurídico protegido, y, por ende, no encierra la lesividad necesaria para que sea de aplicación el Derecho punitivo. Esta conclusión es, además, la que se desprende de una interpretación sistemática del artículo 197: dicho presupuesto —la exigencia de que los documentos contengan información reservada— se recoge expresamente en el apartado siguiente, que sanciona el apoderamiento de *datos reservados de carácter personal o familiar* contenidos en soportes informáticos, o en otros archivos o registros; disposición, hay que decirlo, que prevé las mismas penas que la norma que nos ocupa (no se entiende así en algunas resoluciones judiciales, como la SAP de Lérida, de 28 de febrero de 2000 —El Der., 2000/1992—, en la que se estima suficiente «la violación del continente o cauce al margen de cual sea su contenido»; y, con carácter más restringido, en la SAP de Ciudad Real, de 25 de noviembre de 1999 —Ar. 4684—, en la que se declara que el contenido de una carta, sea cual sea, es siempre secreto; por su parte, el Tribunal Supremo parece reconocer la necesidad de excluir aquellos contenidos que no afecten a la intimidad, cuando dice que es elemento esencial para la aparición de este delito «que existan tales secretos "algo reservado u oculto" según la significación semántica, o lo conocido por un reducido círculo de personas, según la doctrina» —STS de 8 de marzo de 1974, Ar. 1231—; sin embargo, en esta misma resolución el Alto Tribunal recuerda las sentencias de 10 de diciembre de 1908 y 19 de junio de 1923 en las que se mantuvo que el contenido de toda carta particular, sea el que sea, es por su carácter secreto).

Innecesario es decir que la presente norma no será de aplicación cuando la información secreta no se refiera a la intimidad de una persona, o su familia, sino a otras esferas distintas, investidas, incluso, de relevancia penal: a la actividad empresarial (*artículos* 278 y ss.), a la defensa nacional (*artículos* 598 y ss.), etc.

3. DESCUBRIMIENTO DEL SECRETO INFORMÁTICO

Artículo 197.2: *«Las mismas penas se impondrán al que, sin estar autorizado, se apodere, utilice o modifique, en perjuicio de tercero, datos reservados de carácter personal o familiar de otro que se hallen registrados en ficheros o soportes informáticos, electrónicos o telemáticos, o en cualquier otro tipo de fichero o registro público o privado. Iguales penas se impondrán a quien, sin estar autorizado, acceda por cualquier medio a los mismos y a quien los altere o utilice en perjuicio del titular de los datos o de un tercero»*.

En el precepto transcrito se recogen algunos conceptos jurídicos indeterminados, para cuya concreción resultan de utilidad las definiciones contenidas en la L.O. 15/1999, de 13 de diciembre, de Protección de datos de carácter personal, que introdujo importantes innovaciones respecto a la derogada L.O. 5/1992 (LORTAD) (vid., al respecto, Alonso Blas). La citada ley tiene por objeto «garantizar y proteger, en lo que concierne al tratamiento de los datos personales, las libertades públicas y los derechos fundamentales de las personas físicas, y especialmente de su honor e intimidad personal y familiar» (artículo 1). A ese fin, regula los principios que han de observarse en la recogida y tratamiento de datos, y las sanciones aplicables en caso de incumplimiento, partiendo de ciertas definiciones (datos personales, fichero, consentimiento del titular del secreto, etc.) que son esclarecedoras para la interpretación del precepto que nos ocupa.

Por lo que hace al bien jurídico y a los sujetos de la infracción, cabe reproducir lo dicho a propósito de la disposición anteriormente comentada, centrándonos ahora en los elementos distintivos.

a) Conducta típica

En el mismo número 2 del artículo 197 se sanciona, en general, el *apoderamiento*, *acceso*, *modificación* o *alteración* de datos reservados de carácter personal o familiar de otro que se hallen registrados en ficheros o soportes informáticos, electrónicos o telemáticos, o en cualquier otro tipo de archivo o registro público o privado. De una primera lectura de este precepto parece desprenderse, pues, que estamos ante una norma enteramente distinta a la regulada en el apartado anterior, de la que la separan notables diferencias, no sólo en lo que atañe a los comportamientos típicos, sino también en relación con su objeto, limitado aquí a los conocimientos «reservados»; además de otras variaciones, como las que afectan a los elementos subjetivos del injusto, como después veremos. Ahora bien, debe observarse que no sólo la regulación conjunta de estas conductas, que comparten el mismo bien jurídico, sino también, y sobre todo, la identidad de sanciones aplicables en ambos preceptos, imponen una lectura unitaria de dichas normas; proceder que nos ha llevado ya, junto a otros argumentos, a afirmar en el apartado anterior la exigencia de que el comportamiento se refiriese a documentos que efectivamente contuvieran conocimientos reservados, lo que aproxima a ambas disposiciones en cuanto a su objeto.

Bien es verdad que en este segundo apartado estamos ante un delito de resultado que, como veremos, requiere para su consumación del apoderamiento actual de los datos secretos (o el acceso a los mismos), lo que se explica, quizá, por el tipo de soporte que los contiene (soportes informáticos, electrónicos o telemáticos, o archivos públicos o privados), en los que, a diferencia de los regulados en el apartado anterior (cartas, mensajes de correo electrónico, etc.) suelen contenerse datos de muy diversa índole, muchas veces no relacionados con la intimidad. De esta suerte, el legislador protege esa parcela de la privacidad, con la sanción de las intromisiones en los datos personales reservados contenidos en cualesquiera documentos o registros, articulando esa tutela en dos párrafos separados (*artículo* 197.1 y 2), con configuración y requisitos distintos en función de la naturaleza de los citados soportes. A partir de estas vicisitudes nos referiremos a continuación a la conducta prevista en el apartado segundo del precepto que hemos reproducido.

La tutela penal se cierne aquí sobre los «datos reservados de carácter personal o familiar», con la consiguiente restricción del objeto de protección respecto de la normativa civil contenida en la L.O. 15/1999, cuya tutela planea sobre todos los datos de carácter personal, debiendo entenderse por tales, cualesquiera informaciones concernientes a las personas físicas identificadas o identificables (adviértase que se excluye la información relativa a las personas jurídicas), según la definición dada en el artículo 3 de la citada norma. A propósito de lo cual ha precisado, con buena lógica, el Tribunal Supremo, que «no todos los datos reservados de carácter personal o familiar pueden ser objeto del delito contra la libertad informática», sino tan sólo «aquellos datos que el hombre medio de nuestra cultura considera "sensibles" por ser inherentes a su intimidad más estricta, o dicho de otro modo, los datos pertenecientes al reducto de los que, normalmente, se pretende no trasciendan fuera de la esfera en que se desenvuelve la privacidad de la persona y de su núcleo familiar» (STS de 18 de febrero de 1999 —Ar. 510—). No obstante, es de advertir que el término «sensibles» no se utiliza aquí en el sentido restringido en que suele usarlo la doctrina al referirse a los datos enumerados en el apartado 5°, sino como sinónimo de íntimos, cualidad que presentan otros datos no mencionados en ese número —como los relativos a la expresión de sentimientos, etc.—, y que la generalidad de los ciudadanos concibe también como parte del núcleo más reservado de su intimidad. En cualquier caso, esa delimitación de la esfera de tutela viene determinada por la propia connotación de *última ratio* que corresponde al Derecho penal, de modo que, mientras la legislación civil debe amparar todos los datos personales, inclusive, como decíamos, aquellos que individualmente resultan intrascendentes, pero que combinados pueden proporcionar información relevante sobre la privacidad ajena, la normativa punitiva ha de quedar circunscrita a los aspectos más recónditos de la intimidad.

Desde ese prisma, el calificativo «reservados» encuentra su sentido en la exclusión de esta norma de aquellas acciones recayentes sobre datos individuales que, aun siendo personales, no puedan considerarse reflejo de la intimidad más estricta (en contra, Morales Prats, 1996, para quien este calificativo no tiene razón de ser, por cuanto deberían protegerse todos los datos personales informatizados).

Por lo demás, debe advertirse que la tutela de la dimensión familiar de la intimidad no supone la supresión del derecho a la privacidad que corresponde a los cónyuges y familiares entre sí, de modo que nada impide que cualquiera de ellos pueda cometer este delito si invade la esfera íntima de otro (v. gr., en la STS de 14 de mayo de 2001 —El Der., 2001/4722, se condenó al acusado que, con objeto de comprobar si su esposa le era infiel, instaló un mecanismo para interceptar y grabar conversaciones telefónicas en el aparato situado en el dormitorio del domicilio conyugal, logrando de este modo la grabación de conversaciones mantenidas por aquella con su supuesto amante).

En otro orden de cosas, los referidos datos han de estar *registrados*, o lo que es lo mismo, anotados, inscritos, insertos o grabados en ficheros o soportes informáticos, electrónicos o telemáticos, o en otro archivo público o privado; entendiéndose por fichero, de acuerdo con la L.O. 15/1999, todo conjunto organizado de datos de carácter personal, cualquiera que fuere la forma de su creación, almacenamiento, organización y acceso (*artículo* 3 b). Nótese, sin embargo, que el legislador penal diferencia entre fichero y soporte, expresiones con las que parece querer aludir al disco duro, y al disquete-Cd-DVD, respectivamente (de esta opinión, Carbonell Mateu/González Cussac, 1996, 1999).

En lo que atañe a la conducta, el artículo 197.2 se estructura en dos partes, en las que la confusión es aún mayor que en el apartado anterior: en la primera se sanciona el *apoderamiento, utilización o modificación* de los datos registrados en ficheros o soportes informáticos, electrónicos o telemáticos, o en cualquier otro tipo de archivo o registro público o privado; en la segunda, el *acceso* a los mismos, y, de nuevo, su *alteración o modificación*. Y si pusiéramos en conexión estos términos típicos con los datos protegidos (como hace el Tribunal Supremo, al considerar que el objeto de la acción delictiva en ambos incisos «es exactamente el mismo», es decir, los datos reservados de carácter personal o familiar —STS de 18 de febrero de 1999, Ar. 510—), podríamos llegar a concluir que nos encontramos ante una reiteración superflua de las conductas descritas en la enumeración anterior (de esta opinión, Polaino Navarrete); lo que ha llevado a un sector doctrinal a entender referida la segunda secuencia (y, en concreto, la alusión a «los mismos» que contiene el tipo), no a los datos, sino a los ficheros, soportes, y archivos mencionados en el primer inciso (Carbonell Mateu/González Cussac, 1996, 1999; Díaz-Maroto y Villarejo). Con todo, como apunta Morales Prats, esta última exégesis no está tampoco exenta de escollos, desde el momento en que se desvía la protección inicialmente concebida para los datos que conforman la privacidad a los soportes mismos, apartándose de este modo de la regulación vigente en esta materia. A lo que cabe añadir alguna incongruencia penológica, como la que se evidenciaría si se mantuviera una interpretación tan laxa, en aquellos supuestos en que el sujeto se limita a alterar el fichero, archivo o registro en el que se hallan los datos (teniendo en cuenta que el precepto no se refiere únicamente a los ficheros o soportes informáticos, sino a cualesquiera otros públicos o privados, es decir, también a los de carácter manual), pero sin acceder a los conocimientos reservados, e incluso sin modificarlos, aunque con la intención de perjudicar al titular de los datos o a un tercero.

Teniendo presentes estos inconvenientes, parece preferible buscar la explicación de esa dualidad en la forma de obtención de los datos, sin hacer distingos en cuanto al objeto de la acción, que en ambos casos será idéntico: los conocimientos reservados. Desde esta óptica, puede entenderse que si se produce un apoderamiento físico de los mismos (por ejemplo, imprimiéndolos, fotocopiándolos, etc.), o si se aprovecha o altera la información así conseguida, será de aplicación la descripción primera; por el contrario, si el sujeto activo entra en el ordenador en el que están registrados los datos, o, si después de acceder a ellos los modifica o utiliza, procederá aplicar el inciso segundo.

Así las cosas, podría hacerse la siguiente interpretación de las voces típicas: el «apoderamiento» implica la aprehensión física de los datos (copiándolos, por ejemplo); la «utilización», el aprovechamiento en cualquier forma de los mismos; y, «modificación» y «alteración» pueden reputarse conceptos sinónimos, dado que lo relevante a efectos penales es la vulneración de la intimidad ajena, que depende más del carácter reservado de los datos que del tipo de variación, esencial (alteración) o no esencial (modificación), de los mismos —extremo corroborado en el inciso siguiente en el que se sanciona con igual pena el mero acceso a los datos—. Finalmente, el término acceder no puede entenderse en sentido amplio, como simple conocimiento de los datos personales registrados en un soporte informático (exégesis que mantuvo el Tribunal Supremo en S. de 18 de febrero de 1999 —Ar. 510—), pues, como señalan Jareño Leal y Doval País, entendido de esta forma, la cadena delictiva podría alargarse hasta el infinito, es decir, a todos aquellos a quienes se les fuera pasando la información correspondiente una vez ésta estuviera fuera de la máquina o del registro; por lo tanto, debe requerirse la entrada, en sentido figurado, al sistema informático o registro en que dichos datos se encuentren.

De acuerdo con estas premisas, debemos concluir que el simple acceso no consentido a un sistema informático ajeno, *hacking*, con fines formativos, de aprendizaje, etc. (por ejemplo, aprovechando los agujeros —*bugs*— o defectos del *software* que permiten la entrada en los sistemas informáticos), o por el simple reto de vulnerar el *password* (v.gr., utilizando los programas conocidos como «cazadores de contraseñas», que *desencriptan* las contraseñas o eliminan su protección), es atípico, salvo que con esa entrada se ocasionen daños en el soporte físico o en los elementos lógicos, sancionables como delito o falta de daños (de esta opinión, Gutiérrez Francés, 1996, quien, *de lege ferenda*, se muestra partidaria de su incriminación; Morón Lerma, 1999; y así parece entenderlo también Morales Prats, 2001, para quien la criminalización de estas conductas podría vulnerar el principio de intervención mínima y el carácter de *ultima ratio* del Derecho penal; en contra, Fernández Palma/Morales García). Pues, los elementos subjetivos requeridos en el artículo 197, 1 y 2, implican cierta intencionalidad en el autor que no concurre en este caso (y lo mismo cabe decir de otros delitos, como el *artículo* 278 —descubrimiento de secretos de empresa—). No obstante, podría plantearse la posibilidad de aplicar el artículo 256 —uso de terminal de telecomunicación sin autorización—, aunque en la medida en que se requiere la causación de un perjuicio económico superior a 50.000 pesetas resultará difícil subsumir en él el mero intrusismo informático —como se desprende del propio verbo típico—, por mucho que esas conductas ocasionen perjuicios económicos nada desdeñables, dado que el administrador del sistema, que en principio desconoce las actuaciones realizadas por el *hacker* (si se han introducido o no *virus*, *sniffers*, etc.), suele recurrir, para limpiar el sistema, a medios que además de tiempo implican un desembolso económico (vid., respecto a las motivaciones de los *hackers* y los efectos jurídicos de su conducta en Alemania, Möhrenschlager).

Del mismo modo, tampoco parece ser objeto de sanción penal el uso de *cookies* (esto es, bloques de datos que se envían a un ordenador desde determinado «website» —lugar de la red— en el momento en que se conecta a ese servicio, quedando almacenados en su disco duro; siendo reenviados al «website» cada vez que se accede al mismo), controlando, de esta forma, el tipo de servicios consultados por los usuarios de *Internet*.

Por el contrario, incurrirá en este delito quien, aprovechando su accesibilidad al servidor de correo (es decir, el ordenador que gestiona y distribuye los *e-mails* de multitud de usuarios, a través de los programas llamados «clientes» —*cutlock, messeng, unibox*, etc.—), acceda a los mensajes personales ajenos, bien ejecutando un programa de tratamiento de textos que le permita abrir el fichero en que se halla la información, bien instalando programas para rastrear los mensajes que contengan determinado término. (Más discutible resulta, en cambio, la calificación de esta misma conducta cuando la lleve a cabo un empresario respecto a los mensajes enviados por sus trabajadores a través de los ordenadores de su empresa y usando un servidor de la misma, como ya se expuso, especialmente, si se viere afectada la intimidad de personas ajenas a la empresa).

En todo caso, el sujeto activo ha de ejecutar estas conductas *sin estar autorizado*, extremo que bien puede ser interpretado con ayuda de la Ley 15/1999, que ha introducido importantes reformas respecto a la legislación anterior (vid, un comentario a estas innovaciones en Fernández López), requiriendo para el tratamiento de datos de carácter personal el consentimiento inequívoco del afectado —salvo cuando la ley disponga otra cosa— (artículo 6), debiéndose entender por consentimiento, «toda manifestación de voluntad, libre, inequívoca, específica e informada» (artículo 3 h). En consonancia con ello, las acciones definidas en el precepto que examinamos han de llevarse a cabo sin el consentimiento libre e inequívoco del titular de los datos personales; en caso de concurrir dicha anuencia, la actuación del sujeto será atípica, sin que resulte necesario entrar a valorar la eficacia justificante de esa autorización en la antijuridicidad de la conducta.

b) Aspecto subjetivo

Las conductas descritas han de realizarse *en perjuicio de tercero* (primer inciso), o *en perjuicio del titular de los datos o de un tercero* (segundo inciso), lo que representa un elemento subjetivo del injusto, que denota la exigencia de cierta intencionalidad en el sujeto activo. Bien entendido que el término «perjuicio» no puede definirse como daño evaluable en términos económicos, dado el bien jurídico protegido en esta norma, sino como intención de vulnerar la intimidad ajena, de forma similar a como se entiende en el apartado anterior.

A esta conclusión nos conduce el análisis de la conducta típica. En efecto, como hemos visto, la acción puede consistir en apoderarse, utilizar o modificar datos reservados de carácter personal, o en acceder a los mismos; por lo tanto, el dolo presupone ya el conocimiento y voluntad de actuar sobre esa clase de datos que afectan a la intimidad, de manera que el elemento analizado («en perjuicio de tercero») ha de concebirse como un requisito distinto y añadido a ese dolo; ya sea como necesidad de un perjuicio real (entendido como conocimiento efectivo de algún dato personal o como cualquier otro perjuicio que pueda causarse a través de ese conocimiento), ya como especial intención de vulnerar la intimidad (elemento subjetivo del injusto). Mas, una lectura que entienda tal presupuesto en el primer sentido, es decir, como exigencia de lesión efectiva de la intimidad ajena (como parece mantener el Tribunal Supremo en la S. de 18 de febrero de 1999) resulta incongruente en términos penológicos, por cuanto en la presente norma (*artículo* 197.2) se prevén las mismas penas que en el apartado anterior, en el que basta el apoderamiento de documentos ajenos con la intención de descubrir secretos de otro o de vulnerar su intimidad para entender consumado el delito, sin que sea necesario el descubrimiento efectivo. Una interpretación sistemática parece orientar, pues, hacia la consideración de esa cláusula como un requisito subjetivo que encierra un especial ánimo en el autor al cometer el delito; interpretación a la que no empece el cambio de redacción operado respecto al elemento subjetivo del apartado 1° («para descubrir los secretos o vulnerar la intimidad de otro»). Esta variación parece justificada si tenemos presente que, a diferencia de la disposición anterior, este segundo párrafo no comprende sólo el apoderamiento de datos secretos sino también su utilización o modificación, comportamientos que pueden estar guiados por un propósito distinto (aunque añadido) al de violar la intimidad ajena (v. gr. vender la información obtenida, utilizarla en un proceso, desacreditar al afectado, etc.), bastando que concurra esa intención de perjudicar en el momento de ejecutar la acción para entender realizado el delito, sin que sea necesario que el autor llegue a tener conocimiento de los datos personales de que se haya apoderado. Concluiríamos, pues, afirmando la naturaleza subjetiva de este elemento, que requiere la presencia de una especial intencionalidad en el autor (de la misma opinión, Carbonell Mateu/González Cussac, 1996; Morales Prats, 1996; y Morón Lerma, 2001, aunque con notables reparos respecto a la idoneidad de este elemento), si bien con un contenido más amplio que en el apartado anterior dadas las diferentes conductas previstas en ambos preceptos.

Sin embargo, el Tribunal Supremo ha negado en alguna resolución que la cláusula que comentamos implique la exigencia de un ánimo o especial intención de perjudicar. Lo impide, dice el Alto Tribunal, la relevancia constitucional del bien jurídico lesionado por el delito, cuya protección penal no puede estar condicionada, so pena de verse convertida prácticamente en ilusoria, por la improbable hipótesis de que se acredite, en quien atente contra él, el deliberado y especial propósito de lesionarlo. Estamos, concluye, ante un delito doloso pero no ante un delito de tendencia (STS de 18 de febrero de 1999, Ar. 510, en la que se condenó a un periodista por publicar la noticia de que en una prisión trabajaban dos reclusos —cuyos datos personales daba— que tenían la enfermedad del sida, revocando así la SAP de Las Palmas de 15 de noviembre de 1997, en la que se había absuelto al imputado por entender que no actuó con la especial intención de perjudicar que requiere el tipo) (vid., también, la STS de 14 de septiembre de 2000 —El Der., 2000/27681—, que reproduce lo dicho en la de 18 de febrero de 1999 a propósito de este elemento, requiriendo la concurrencia de un perjuicio para completar el tipo; requisito que, a juicio del Alto Tribunal existió en el supuesto enjuiciado, pues el acusado, tras ser despedido, fotocopió cierta documentación del despacho de abogados en el que hasta entonces había prestado sus servicios, amenazando al letrado titular del mismo con acudir a la Fiscalía a denunciar las irregularidades conocidas de ese modo. No obstante, al valorar si hubo o no «divulgación», en el sentido del apartado 3 del artículo 197, el citado Tribunal sostiene que la puesta en conocimiento del Fiscal por parte del recurrente está hecha «con la finalidad de perjudicar el crédito y honorabilidad del sujeto pasivo del delito, verdadera intención del recurrente»; por lo tanto, en este caso concurría el requisito subjetivo apuntado).

Empero, desde nuestro punto de vista, dicha exégesis resulta insatisfactoria. Para el Alto Tribunal el elemento que analizamos («en perjuicio de tercero») implica la existencia de un daño efectivo, detrimento que concurre, en su opinión, siempre que se desvelan (descubren) datos reservados, considerando el acceso a los mismos requisito necesario para la consumación. Pero, como hemos visto, esta interpretación no parece acertada a partir de una lectura conjunta de los dos primeros números del artículo 197, estrechamente enlazados. A la luz de estas normas puede afirmarse que, al igual que en el apartado primero, en el artículo 197.2 se recoge un delito mutilado de dos actos, sancionándose, incluso, el simple apoderamiento de datos relativos a la intimidad de otro, cuando esa acción se lleve a cabo con el propósito de perjudicar a su titular o a un tercero, sin que sea necesario que el sujeto activo llegue a conocer los datos de que se hubiese apoderado, y, por ende, sin precisarse resultado alguno. (En este sentido, por ejemplo, habría de aplicarse este precepto a quien con la finalidad apuntada se apodere de un disquete o fichero en el que se reflejen datos personales, los grabe, etc., aun cuando estos conocimientos no lleguen a ser descubiertos). Por otra parte, la trascendencia del bien jurídico protegido no puede llevar a soslayar un requisito típico (la reiterada cláusula «en perjuicio de tercero»), para cuya supresión existen mecanismos legales, que no son otros que los de la reforma del precepto.

Una opinión distinta mantienen Jareño Leal y Doval País, sugiriendo, al hilo de la sentencia comentada, que en algunas de las conductas previstas en la disposición que examinamos, concretamente en la de acceso a los datos reservados, el elemento subjetivo apuntado no aporta nada, pues una vez realizada la acción, dicen esos autores, se ha verificado ya la agresión relevante al bien jurídico intimidad. Pero, incluso en este supuesto conviene afirmar la exigencia del elemento subjetivo apuntado, con independencia de consideraciones de *lege ferenda*, habida cuenta de que puede tener repercusiones prácticas, v. gr., en lo que aquí interesa, declarar impune la conducta del *hacker* que entra en un sistema informático ajeno asumiendo que puede haber datos personales, mas sin la intención de perjudicar a su titular, sino tan sólo con fines de aprendizaje —conocer los defectos del sistema y perfeccionar de esta forma sus conocimientos informáticos—; en cuyo caso hay que entender que la afección al bien jurídico intimidad no encierra la lesividad suficiente para ser objeto de la sanción penal.

Llegados a este punto, debemos advertir que en alguna resolución posterior el Tribunal Supremo ha mantenido, también, que la expresión que examinamos constituye un «elemento subjetivo del tipo» (STS de 9 de octubre de 2000 —El Der., 2000/30252—, en la que se aprecia esa especial intencionalidad en el acusado que se apoderó de datos sensibles de una pluralidad de personas enfermas y minusválidas, con el fin de utilizarlos en negocios de «contactos», ofrecimiento de servicios sexuales, propuestas de trabajos fraudulentos, etc.), lo que hace pensar que la interpretación mantenida en la resolución transcrita de 18 de febrero de 1999 se basa en razones de justicia material, que poco tienen que ver con una interpretación estricta de la literalidad de la ley.

En otro orden de cosas, hay que entender por *tercero* cualquier persona distinta al sujeto activo, incluido el titular de los datos; de lo contrario, éste quedaría injustificadamente excluido de la tutela conferida en la primera descripción, en la que sólo se menciona al tercero. (Precisamente, la L.O. 15/1999, considera afectado o interesado, beneficiario, por tanto, de la protección de esa norma, a «la persona física titular de los datos que sean objeto de tratamiento» —*artículo* 3 e—). En este sentido se ha pronunciado también el Tribunal Supremo, entendiendo que, pese a la omisión de la referencia al titular de los datos en el primer inciso, debe considerarse incluido en el mismo, habida cuenta de que aquél es el que con mayor frecuencia resulta perjudicado por la infracción (STS de 18 de febrero de 1999 —Ar. 510—).

4. TIPOS CUALIFICADOS O AGRAVADOS

Se encuentran en los números 3, 4, 5 y 6 del artículo 197 y en el artículo 198.

4.1. En razón de la divulgación

> Artículo 197.3: *«Se impondrá la pena de prisión de dos a cinco años si se difunden, revelan, o ceden a terceros los datos o hechos descubiertos o las imágenes captadas a que se refieren los números anteriores.*
> *Será castigado con la pena de prisión de uno a tres años y multa de doce a veinticuatro meses, el que, con conocimiento de su origen ilícito y sin haber tomado parte en su descubrimiento, realizare la conducta descrita en el párrafo anterior».*

En el presente número se describe la conducta de quienes revelan a terceros la información relativa a la intimidad de otro, agravando o atenuando la pena, en relación con el tipo básico, según difunda los datos el propio sujeto que realizó el descubrimiento u otra persona distinta, si bien, eso sí, con conocimiento de su origen ilícito. En concreto, el párrafo primero castiga a quienes difunden, revelan o ceden, esto es, a quienes comunican a terceros los datos o hechos descubiertos, o las imágenes captadas, debiendo entenderse que el sujeto que lleva a cabo la divulgación es el mismo que realizó el apoderamiento, pues resultaría incongruente imponer una pena mayor a quien se limita a contar a otros aquello de lo que ha tenido noticia de modo casual —dado que si conoce el origen ilícito de la información estaremos ante el supuesto del párrafo siguiente— que a quien se ha apropiado ilegalmente de esa información (*artículo* 197.1 y 2).

De acuerdo con ello, se aplicará el párrafo segundo cuando quien ejecute la conducta no haya tomado parte en el descubrimiento, como se ocupa de precisar el legislador, en coherencia con la menor pena prevista en dicha norma. En este caso, basta que el sujeto activo conozca el origen ilícito de la información, aun cuando no sepa quién llevó a cabo la conducta prohibida, ni la forma concreta en que se desarrolló (vid., SAP de La Rioja, de 3 de diciembre de 1999 —Ar. 5447—).

El fundamento de la agravación y de la sanción, respectivamente, se cifra, entonces, en el menoscabo de la intimidad que conlleva el conocimiento de la información reservada por un mayor número de personas; entendiéndose consumado el delito cuando se comunican los datos a terceros. No obstante, debe advertirse que la pena es la misma tanto si hay un solo destinatario como si llega a tener noticia de la información una pluralidad indefinida de personas, como ocurre, por ejemplo, cuando se difunde a través de *Internet.* Por lo demás, no existe obstáculo para admitir la ejecución en grado de tentativa cuando se realicen actos dirigidos a difundir datos secretos, si la divulgación no llega a producirse por motivos ajenos a la voluntad del sujeto (Carbonell Mateu/González Cussac, consideran, en cambio, que en este caso debería aplicarse el tipo básico, 1999).

4.2. *Por la condición del sujeto activo*

Artículo 197.4.: «*Si los hechos descritos en los apartados 1 y 2 de este artículo se realizan por las personas encargadas de los ficheros, soportes informáticos, electrónicos o telemáticos, archivos o registros, se impondrá la pena de prisión de tres a cinco años, y si se difunden, ceden o revelan los datos reservados, se impondrá la pena en su mitad superior*».

El incremento de la pena halla aquí su razón de ser en la especial condición del sujeto activo. No obstante, la remisión a los apartados precedentes implica que el delito sólo puede cometerse mediante una acción positiva, resultando impune la conducta cuando el encargado del registro se limite a tolerar la vulneración de los documentos que estén bajo su guarda por parte de terceros. Lo que denota que el fundamento de la agravación no se halla en una especial posición de garante del sujeto activo, respecto a los datos custodiados, sino en la infracción del deber de fidelidad y corrección en el desempeño de sus funciones que personalmente le incumbe, en materia de confidencialidad.

Por otra parte, y de acuerdo con una lectura respetuosa con el principio de intervención mínima, debe considerarse *personas encargadas de los ficheros, soportes, archivos o registros*, tan sólo a quienes tengan legal o contractualmente encomendada su gestión, restringiendo el concepto de «responsable del fichero o tratamiento», contenido en el artículo 3 de la L.O. 15/1999 («toda persona física... que decide sobre la finalidad, contenido y uso del tratamiento de los datos personales»), en el que tiene cabida la administración de hecho.

4.3. *Por la naturaleza de los datos*

Artículo 197.5.: *«Igualmente, cuando los hechos descritos en los apartados anteriores afecten a datos de carácter personal que revelen la ideología, religión, creencias, salud, origen racial o vida sexual, o la víctima fuere un menor de edad o un incapaz, se impondrán las penas previstas en su mitad superior».*

En esta disposición el legislador penal protege ciertos datos que tradicionalmente se han considerado «sensibles», mereciendo una tutela especial en la derogada LORTAD, y ahora también en la L.O. 15/1999 (*artículo* 7), normas que deben interpretarse a la luz de las disposiciones internacionales de las que traen causa. En este sentido, el artículo 6 del Convenio 108 del Consejo de Europa prohíbe el tratamiento automatizado de esa clase de datos, salvo que el Derecho interno de cada estado prevea las garantías adecuadas, y en igual dirección se pronuncia también el artículo 8 de la Directiva 95/46/CE, que formula la prohibición de forma absoluta, articulando no obstante una serie de excepciones tasadas (vid., un comentario a estas normas en Martín-Casallo López).

Desde este prisma, las medidas arbitradas en nuestra legislación no pueden comportar una habilitación legal para el tratamiento informatizado de este tipo de información, sino tan solo la regulación de un régimen jurídico adecuado para aquellos casos en que el registro devenga necesario, supuestos que deben seguir considerándose excepcionales, como indicó la Fiscalía General del Estado (Consulta 1/1999). A este propósito, el artículo 7.4 de la L.O. 15/1999, prohibe los ficheros creados con la finalidad exclusiva de almacenar datos de carácter personal que revelen la ideología, afiliación sindical, religión, creencias, origen racial o étnico, o vida sexual (nótese que se incluye la afiliación sindical, extremo no mencionado en el presente artículo); añadiendo que los datos que hagan referencia al origen racial, a la salud o a la vida sexual sólo pueden ser recabados, tratados y cedidos cuando, por razones de interés general, así lo disponga la ley o el afectado consienta expresamente (*artículo* 7.3). Además, el tratamiento de aquellos elementos que revelen la ideología, la afiliación sindical, religión y creencias requieren el consentimiento del afectado (con determinadas excepciones respecto a los afiliados o miembros de partidos políticos, sindicatos, etc.) (*artículo* 7.2). A todo lo cual hay que añadir que dichos datos no podrán ser utilizados para finalidades incompatibles con aquellas que motivaron su recogida (*artículo* 4.2) (sobre el particular, vid. la STC 94/1998, de 4 de mayo).

Entre las medidas previstas para preservar esos datos, destacan las reguladas en el RD 994/1999, de 11 de junio, sobre medidas de seguridad, cuyo artículo 4.3 dispone que se deberán aplicar a esos conocimientos las calificadas de nivel alto, entre ellas, cifrar los datos o asegurar que la información no sea inteligible durante la distribución de los soportes que la contengan o durante su transmisión a través de redes de telecomunicaciones, el control de los accesos a esos conocimientos, y el guardado de copias de respaldo y de recuperación de datos (*artículos* 23 a 26).

Por lo demás, la penalidad prevista no parece excesiva, dado el mayor contenido de injusto que entraña la violación de los aspectos más reservados de la persona, y la situación de especial vulnerabilidad en que se encuentran los menores e incapaces.

4.4. Por el fin lucrativo perseguido

Artículo 197. 6.: *«Si los hechos se realizan con fines lucrativos, se impondrán las penas respectivamente previstas en los apartados 1 al 4 de este artículo en su mitad superior. Si además afectan a datos de los mencionados en el apartado 5, la pena a imponer será la de prisión de cuatro a siete años».*

En este apartado se recoge un tipo agravado en virtud del fin lucrativo perseguido por el sujeto activo de las conductas incriminadas en los números anteriores, algo sorprendente en el marco de unas modalidades delictivas dirigidas a tutelar un derecho de carácter personal, como es la intimidad. De ahí que un sector de opinión (Morales Prats, 1999), tratando de atribuir un perfil más adecuado a esta agravación, haya postulado la exigencia de cierta habitualidad en la conducta del autor, castigando únicamente a quienes se dedican al tráfico de material relativo a la intimidad ajena; configuración más acorde, sin duda, con el objeto de tutela. Empero, la regulación del Código no está lejos tampoco de ese propósito, pues, precisamente, la opción del legislador por sancionar los actos individuales parece responder al deseo de evitar la proliferación de este tipo de actividades en que la acreditación de la habitualidad no suele resultar fácil. No obstante, de *lege data* debe incrementarse la pena siempre que en el caso concreto el culpable actúe con esa finalidad lucrativa, es decir, con la intención de obtener un beneficio económico, por más que ese propósito sólo aumente la ofensa a la intimidad cuando, por existir una actividad habitual, sea mayor también el peligro para el objeto tutelado. (En este sentido, como ya vimos, la STS de 9 de octubre de 2000 —El Der., 2000/30252— condenó al acusado, con aplicación de los párrafos 5 y 6 del artículo 197, por sustraer disquetes que contenían información sobre la minusvalía y estado de salud de los miembros de una asociación de parapléjicos, con el fin de utilizarlos en negocios de contactos, etc., aun cuando no se tenía constancia de que el autor se dedicara a este tipo de actividades). En todo caso, sería conveniente modificar la redacción de este precepto en el sentido apuntado.

Debe notarse, además, que esa pena agravada se incrementará, a su vez, cuando la conducta recaiga sobre alguno de los datos sensibles a que alude el apartado 5 (ideología, creencias, salud, etc.).

4.5. Por la condición de autoridad o funcionario público del sujeto

Artículo 198: «*La autoridad o funcionario público que, fuera de los casos permitidos por la ley, sin mediar causa por delito, y prevaliéndose de su cargo, realizare cualquiera de las conductas descritas en el artículo anterior, será castigado con las penas respectivamente previstas en el mismo, en su mitad superior y, además, con la de inhabilitación absoluta por tiempo de seis a doce años*».

La presente norma contiene un tipo agravado en atención a la condición de autoridad o funcionario público del sujeto activo, en coherencia con el criterio adoptado por el legislador de 1995 en el ámbito de los delitos especiales impropios cometidos por tales sujetos, a quienes se aplica una pena mayor a la prevista para los particulares, privándoles así de la posición de privilegio con que contaron al abrigo del texto refundido de 1973. De esta forma, se mejora el criterio penológico del Código derogado, articulando una sanción más adecuada al injusto cometido, que en este caso resulta particularmente grave, no tanto por la mayor facilidad que entraña el ejercicio del cargo para la comisión del delito sino, sobre todo, por la transgresión del deber de corrección en el desempeño de la función pública que compete a todos los servidores públicos. (Vid., respecto al fundamento de esta agravación, Prats, 1996). Con todo, no cabe asentar el fundamento de la agravación en una presunta posición de garante del sujeto activo, ya que, como se desprende de la lectura del tipo, no es necesario que la acción sea realizada por la persona encargada de los datos o documentos que afectan a la intimidad, bastando que haya prevalimiento en el ejercicio del cargo por parte del autor. Es más, si la autoridad o funcionario que accede a los datos tuviese confiada la custodia de los documentos por razón de su cargo, podría incurrir en los delitos específicos regulados en los artículos 413 y siguientes (infidelidad en la custodia de documentos y violación de secretos), de preferente aplicación al artículo que examinamos. Razón por la cual, debe aplicarse esta agravación cuando el sujeto activo tenga acceso a la información reservada por su condición de empleado público y aproveche esta circunstancia para cometer el delito, siempre que no tenga directamente encomendado su cuidado, o que su conducta no sea incardinable en los artículos 413 y siguientes. (Al respecto, se señala en la

SAP de Navarra, en S. de 27 de julio de 1999 —Ar. 2857—, que no basta, para aplicar este precepto, que la autoridad o funcionario tenga conocimiento de los datos reservados de modo circunstancial en el desempeño de su trabajo, sino que, justamente, ha de tener acceso a los mismos por razón de su función). De acuerdo con ello, si quien accede a los datos secretos cuenta con la anuencia de la autoridad o el funcionario responsable de los mismos, la presente infracción concurrirá con el delito de infidelidad en la custodia de documentos, aplicándoseles, respectivamente, los artículos 198 y 415.

En suma, pues, estamos ante un delito especial impropio, incompatible con la circunstancia 7ª del artículo 22, que sólo podrán cometer quienes reúnan la condición de autoridad o de funcionario tal como se definen en el artículo 24 del Código penal, agravándose en este caso las penas del artículo anterior, que se aplicarán en su mitad superior, con el añadido de la inhabilitación. Ahora bien, el tipo requiere que aquéllos actúen *fuera de los casos permitidos por la ley, sin mediar causa por delito, y prevaliéndose de su cargo*. Por lo tanto, sólo si actúan al margen de sus competencias, o lo que es lo mismo, como particulares, pero aprovechando la especial posición que les confiere su cargo, tendrá aplicación este precepto (siguiendo este criterio, en la SAP de Madrid, de 19 de junio de 1999 —LL, 79/1999—, se condenó a un funcionario que, utilizando las claves de acceso de otros dos funcionarios competentes para acceder a la información, extrajo del ordenador datos personales de algunos de los titulares que figuraban en las hojas del padrón, en concreto, nombres y apellidos, fecha y lugar de nacimiento, DNI, dirección, teléfono, familiares convivientes, y estudios realizados). Por el contrario, si aun revistiendo la condición de autoridad o funcionario cometieren el delito sin prevalerse de su función, se aplicará el tipo básico.

Partiendo de estas premisas, conviene diferenciar esta figura de los delitos cometidos por autoridad o funcionario público contra las garantías constitucionales regulados en los artículos 535 y 536, que giran en torno a la interceptación ilícita de correspondencia o de telecomunicaciones. La diferencia estriba en que dicha interceptación ha de efectuarla el autor «mediando causa por delito», lo que implica que ejecute la acción en el ámbito de sus competencias, si bien con violación de las garantías constitucionales o legales.

5. *REVELACIÓN DE SECRETO PROFESIONAL*

Artículo 199: *1. «El que revelare secretos ajenos, de los que tenga conocimiento por razón de su oficio o sus relaciones laborales, será castigado con la pena de prisión de uno a tres años y multa de seis a doce meses.*
2. El profesional que, con incumplimiento de su obligación de sigilo o reserva, divulgue los secretos de otra persona, será castigado con la pena de prisión de uno a cuatro años, multa de doce a veinticuatro meses e inhabilitación especial para dicha profesión por tiempo de dos a seis años».

En el párrafo primero se contempla la revelación de secretos por quien tiene conocimiento de los mismos por razón de su oficio o relaciones laborales, cláusula que suele entenderse referida a aquellas actividades que no requieren título académico u oficial; por contraposición al supuesto previsto en el número segundo, consistente en la divulgación de secretos conocidos en el desempeño de profesiones que precisan titulación académica o profesional (Carbonell Mateu/González Cussac, 1996, 1999). Si bien, debe notarse que, mientras en este segundo caso el requisito de la obtención de un título habilitante para el ejercicio de la profesión desarrollada determina que el delito sólo pueda cometerse por quien lo ha obtenido, es decir, un profesional, en el apartado primero nada impide considerar sujeto activo tanto al empleador, como el trabajador o asalariado, toda vez que el tipo únicamente exige que el autor tenga noticia de la información por razón de su oficio o relación laboral; lo que corrobora la naturaleza de esta infracción que, lejos de tutelar un bien jurídico relacionado con los derechos laborales, constituye un delito contra la intimidad. (La revelación de secretos industriales y empresariales es objeto de una regulación específica en los artículos 270 y ss.). De esta forma, se superan las críticas formuladas por la doctrina respecto a los artículos 498 y 499 del Código anterior, en los que no se recogía la divulgación de secretos por parte del principal (vid. al respecto, Morales Prats, 1984).

Ahora bien, en ambos preceptos se prevén sanciones distintas: en el primer párrafo se aplica la pena correspondiente a quienes revelan datos reservados ajenos, sin haber tomado parte en el descubrimiento, pero conociendo su origen ilícito (artículo 197.3, párrafo 2°); en el segundo, en cambio, se equipara la revelación de secretos profesionales al apoderamiento de conocimientos reservados, y, en general, a las conductas previstas en los apartados 1 y 2 del artículo 197, imponiendo las mismas penas que en estos preceptos, si bien con el añadido de la inhabilitación especial. Y aunque en un principio pudiera parecer que esa diferencia responde a la exigencia, silenciada en el apartado 1°, de que el profesional actúe «con incumplimiento de su obligación de sigilo o reserva», dicho requisito ha de considerarse implícito también en el apartado segundo, si no se quiere incurrir en la incongruencia de sancionar a quien revele determinada información sin estar obligado a preservarla.

Asimismo, tampoco parece acertado fijar el fundamento de la distinción en el número de destinatarios a los que se comunica el secreto, por mucho que así pudiera inferirse de los verbos típicos empleados en ambas disposiciones. En efecto, mientras el apartado 1° sanciona a quien *revele* los secretos, esto es, a quien los descubra, bastando, por tanto, la comunicación a una sola persona, el apartado 2° utiliza el término *divulgar*, que implica publicar, poner al alcance del público algo que antes estaba reservado, definición que para algunos denota la exigencia de un sector mayor de destinatarios. Sin embargo, no parece defendible que la divulgación del secreto profesional sólo pueda sancionarse cuando los datos reservados se pongan en conocimiento de una pluralidad de personas, como se ha mantenido en alguna resolución judicial (como ejemplo, en la SAP de Huesca, de 15 de marzo de 1999 —Ar. 2712—, se niega la aplicación del artículo 199.2 «por cuanto —el acusado— no ha difundido datos reservados de la empresa a una pluralidad indeterminada de personas»). Desde luego, resultaría incongruente castigar la mera revelación de datos secretos conocidos con motivo de la relación laboral, y dejar impune esta conducta cuando el sujeto activo fuese un profesional (puesto que no resultarían aplicables los tipos anteriores, al no ser el conocimiento de esa información ilícito sino lícito), siendo que, en este caso, la información reservada puede entrañar un atentado mayor a la intimidad que en el caso anterior, y que una vez descubierto el secreto será difícil evitar que esa información se propague. Incoherencia que se vería agravada cuando el profesional fuese funcionario: en este caso su conducta se sancionaría de acuerdo con el artículo 417, que castiga la mera revelación de secretos (conocidos por razón del oficio o cargo) por parte de autoridad o funcionario, utilizando indistintamente los términos revelar y divulgar, y aplicando una pena de prisión sensiblemente superior a la prevista en el artículo 199, párrafo segundo. Además, esta interpretación parece confirmada por el tipo básico (artículo 197.3), en el que se prevé en una descripción única, y se castiga con la misma pena, la difusión y la revelación de datos reservados, entendiendo de forma unánime la doctrina que basta, para cometer el delito, con comunicar a una sola persona la información. Y así se ha entendido, también, en alguna resolución judicial, como la SAP de Huesca, de 27 de enero de 2000 —LL, 161/1999—, en la que se condena a un abogado por revelar al Juez datos de su cliente, en un proceso seguido contra éste.

En consecuencia, el término *divulgar* debe interpretarse como la acción de poner en conocimiento de terceros los datos de carácter secreto, ya sean destinatarios una pluralidad indefinida de personas o un grupo reducido, incluso una sola persona, pues, en todos estos casos se pone al alcance del público algo que antes era reservado, respetándose, por tanto, el significado gramatical del verbo.

La explicación de esa diferencia penológica hay que buscarla, pues, en la naturaleza del secreto desvelado en cada caso, ya que el ejercicio profesional, sobre todo de determinadas actividades, como la abogacía, la medicina, el sacerdocio, etc., conlleva el conocimiento de ciertas parcelas de la intimidad ajena (salud, vida sentimental, etc., e, incluso, actuaciones ilícitas) que, normalmente, van más allá de los que se conocen en el ámbito laboral. Ello justifica que para garantizar el diligente ejercicio de esas actividades, y, porqué no, para amparar también la confianza de quienes recurren a esos profesionales, se establezca una especial obligación de sigilo, que suele preverse en la normativa que reglamenta el ejercicio de la profesión. Este es el caso del secreto médico, que diversas disposiciones han regulado expresamente (así, el RD 426/80, de febrero, de extracción y transplante de órganos, establece la obligación de mantener el anonimato del donante; el RD 1018/ 1980, de 19 de mayo, por el que se aprobaron los estatutos generales de la organización médica colegial, prevé como falta muy grave la violación dolosa del secreto profesional —artículo 64.4 b—; la L.O. 14/86, de 25 de abril, general de sanidad, regula el derecho de los pacientes a la confidencialidad de toda la información relacionada con su proceso y con su estancia en instituciones sanitarias, públicas o privadas que colaboren con el sistema público —artículo 10.3—, así como el derecho del enfermo a su intimidad personal y familiar y el deber de guardar secreto por quien, en virtud de sus competencias, tenga acceso a la historia clínica —artículo 61—; el RD 2409/86, de 21 de noviembre, sobre interrupción voluntaria del embarazo, exige la confidencialidad de estas intervenciones y de las consultas de las pacientes; y el RD 561/93, de 16 de abril, sobre ensayos clínicos, determina que todas las partes implicadas en estas actividades guardarán la más estricta confidencialidad. Asimismo, el Código español de ética y deontología médica, de 31 de marzo de 1990, determina, en su artículo 16, que el secreto médico es inherente al ejercicio de la profesión y se establece como un derecho del paciente para su seguridad. Este secreto vincula a todos los médicos, cualquiera que sea la modalidad de su ejercicio, y abarcará todo lo que el paciente le haya confiado y de lo que haya conocido en su ejercicio profesional).

Particular interés presentan, en el ámbito que nos ocupa, la L.O. 5/92, de 29 de octubre, sobre protección de datos de salud informatizados, cuyo artículo 7º determina que los datos de carácter personal que hagan referencia al origen racial, a la salud y a la vida sexual sólo podrán ser recabados, tratados automáticamente y cedidos cuando por razones de interés general así lo disponga la ley o el afectado consienta expresamente. Y el artículo 19 del citado Código español de ética y deontología médica, que establece garantías especiales para los casos de informatización de los datos relativos a la salud: «los sistemas de informatización médica no comprometerán el derecho del paciente a la intimidad. Todo banco de datos que ha sido extraído de historias clínicas estará bajo la responsabilidad de un médico. Y un banco de datos médicos no podrá conectarse a una red informática no médica».

Igualmente, el Estatuto General de la Abogacía (RD 658/ 2001, de 22 de junio) prevé que «de conformidad con lo establecido por el artículo 437.2 de la Ley Orgánica del Poder Judicial, los abogados deberán guardar secreto de todos los hechos o noticias que conozcan por razón de cualquiera de las modalidades de su actuación profesional, no pudiendo ser obligados a declarar sobre los mismos» (artículo 32.1). Y en el mismo sentido se pronuncia el Estatuto general de los procuradores de los Tribunales de España (RD 2046/1982, de 30 de julio), estableciendo la obligación de los procuradores de guardar el secreto profesional de cuantos hechos, documentos y situaciones relacionadas con sus clientes hubiese tenido noticia por razón del ejercicio de su profesión (artículo 14.15).

Una mención especial merecen los profesionales de la informática, cuya actuación puede tener cabida en este precepto si divulgan secretos de los que tuvieren conocimiento en el desempeño de su profesión (de esta opinión, Morales Prats, 1996). En este caso, su singular función hace que su espectro de conocimientos respecto a la intimidad ajena no quede acotado como en otras profesiones, pudiendo conocer toda suerte de datos personales, inclusive aquellos que por ser particularmente personales son objeto de una protección especial. Y, también pesa sobre ellos la obligación de sigilo, que les impone el artículo 10 de la L.O. 15/ 1999; a cuyo tenor, el responsable del fichero y quienes intervengan en cualquier fase del tratamiento de los datos de carácter personal están obligados al secreto profesional respecto a los mismos y al deber de guardarlos, obligaciones que subsistirán aun después de finalizar sus relaciones con el titular del fichero o, en su caso, con el responsable del mismo. Desde este punto de vista, pues, el incremento de pena que implica el número 2 del artículo 197 queda justificado, con mayor motivo, si cabe, que en los supuestos anteriores.

Así las cosas, el legislador prevé ambas vulneraciones, laborales y profesionales, en preceptos separados, castigando con mayor pena la violación del secreto profesional; criterio que, en principio, parece acertado, teniendo en cuenta las premisas anteriores. Con todo y con ello, hay que advertir que, para aplicar estas agravaciones es necesario que la información reservada se conozca por razón del oficio o relación laboral, o a causa del ejercicio de la profesión.

En la esfera profesional, dicho presupuesto comporta que el secreto se conozca en el desempeño de la profesión, no de un modo casual, sino precisamente como consecuencia del ejercicio de las actividades propias de la misma; y que, además, afecte a la intimidad ajena. En este sentido cabe pensar, por ejemplo, en la divulgación del historial médico de un paciente por parte del personal sanitario (médicos, enfermeros, fisioterapeutas, etc.); o en la revelación por el abogado o procurador de secretos de su cliente, supuesto que antes se preveía conjuntamente con la deslealtad profesional (artículo 360 del texto refundido de 1973), y que se omite en la regulación actual de este delito (artículo 467), de forma que, de no incluirse en el artículo 199, quedaría al margen de la protección punitiva. (Así se ha entendido, también, en las SSTS de 31 de julio de 1999 —El Der., 1999/8578—, y 14 de julio de 2000 —El Der., 2000/18351—). Ahora bien, la información divulgada por el procurador o letrado ha de guardar relación con la intimidad, bien de un cliente o bien de un tercero, de modo que la violación de un secreto intrascendente a estos efectos sólo será sancionable si resultan perjudicados los intereses de su patrocinado (artículo 467). Configuración que supone una novedad, no tanto por la delimitación del objeto que deriva de la nueva ubicación sistemática de este delito entre los relativos a la intimidad, cuanto por la ampliación operada respecto al círculo de posibles agraviados: los secretos divulgados pueden concernir a personas no representadas por esos profesionales, incluida la contraparte.

Mayores dudas plantea, en cambio, la demarcación de lo que deba entenderse por secreto en el primer apartado, dada la amalgama de información que en el campo laboral se puede conocer. Pero, partiendo del criterio teleológico apuntado, no puede bastar que el autor tenga noticia de la información con motivo de una relación laboral, ha de tratarse, además, de conocimientos que afecten a la intimidad de un tercero. Por lo tanto, quedan fuera de este concepto todos aquellos datos que, pese a ser conocidos por el autor a causa de su trabajo, no afectan a ese derecho, aun cuando pueden ser objeto de protección penal en otros lugares del Código; este es el caso de los relativos a la capacidad competitiva de la empresa —secretos de empresa— (artículos 279 y 280); los que atañen a la propiedad intelectual o industrial (artículos 270 y ss.); o los referidos a la defensa nacional (artículos 598 y ss.). Así, por ejemplo, siguiendo la redacción del artículo 498 del Código anterior (ubicado entre los delitos contra la libertad y seguridad) quedarían comprendidos en el artículo 199.1 los supuestos de divulgación por el dependiente o el criado de secretos de su principal (datos que de acuerdo con la nueva conformación del delito han de ser íntimos).

Esta interpretación, además, es acorde con la postura mantenida por el Tribunal Constitucional en alguna resolución, en la que ha declarado excluidos del ámbito personal de la intimidad los hechos relativos a las relaciones sociales y laborales del sujeto («el atributo más importante de la intimidad, como núcleo central de la personalidad, es la facultad de exclusión de los demás, de abstención de injerencias por parte de otro, tanto en lo que se refiere a la toma de conocimientos intrusiva, como a la divulgación ilegítima de esos datos. La conexión de la intimidad con la libertad y dignidad de la persona implica que la esfera de la inviolabilidad de la persona frente a injerencias externas, el ámbito personal y familiar, sólo en ocasiones tenga proyección hacia el exterior, por lo que no comprende en principio los hechos referidos a las relaciones sociales y profesionales en que se desarrolla la actividad laboral, que están más allá del ámbito del espacio de intimidad, personal y familiar sustraído a intromisiones extrañas por formar parte del ámbito de vida privada»). De acuerdo con ello, los datos referidos al contenido de la prestación laboral, a las condiciones de trabajo, a la duración y a la modalidad contractual, e, incluso, a las retribuciones del trabajador, quedan marginadas del citado derecho fundamental (STC 142/1993, de 22 de abril de 1993), y, por lo tanto, su vulneración no tiene cabida en el presente título.

En suma, pues, la revelación de información puramente laboral, sólo puede considerarse delictiva cuando afecta a la capacidad competitiva de la empresa, en cuyo caso, el objeto de protección no es ya la intimidad sino el patrimonio, como veremos al analizar este delito (artículos 278 y ss.). Precisamente, el examen de estos preceptos confirma la exégesis anterior: la revelación de secretos de empresa, conocidos legítimamente, sólo se sanciona cuando el autor está legal o contractualmente obligado a guardar reserva, resultando atípica la conducta cuando quien los difunde no tiene esa obligación especial, pues, tan solo infringe el deber de prudencia y buena fe que debe observarse en el desempeño de la actividad laboral. Por consiguiente, no castigándose la comunicación de la información más trascendente para la empresa —aquella que afecta a su capacidad competitiva—, debe considerarse impune, también, la revelación de cualesquiera otros datos de carácter estrictamente laboral. Así parece entenderse también en alguna resolución judicial, como la SAP de Las Palmas, de 3 de diciembre de 1999 —El Der., 1999/53604—, en la que se absolvió al acusado por revelar información concerniente a la incompatibilidad en que incurría el querellante para el desempeño de la actividad propia de gestor inmobiliario, por su condición de funcionario público, basándose la sentencia desestimatoria en que se trataba de información puramente laboral, sin proyección en la intimidad del sujeto.

No obstante, resulta difícil determinar *a priori* qué información resulta lesiva para la intimidad; desde este punto de vista teórico, tan solo cabe apelar a la idea del bien jurídico protegido, a modo de recordatorio, con el fin de que en la práctica judicial no se haga una interpretación de los tipos que vaya más allá del significado permitido por su tenor literal y su sentido teleológico.

En resumen, pues, la información reservada ha de revestir suficiente trascendencia como para ser considerada lesiva del bien jurídico, y, por tanto, antijurídica; lo que implica que los datos han de pertenecer a lo que hemos llamado núcleo esencial de la intimidad, y han de ser efectivamente secretos. Como ejemplo, la Audiencia Provincial de Valencia absolvió, por entender que la conducta no tenía relevancia penal, al no tratarse «mas que de meros cotilleos de lo que en la actualidad se denomina prensa amarilla o del corazón» (sic), a quien, conociendo merced a su calidad de médico el historial clínico de una paciente, relevó a un tercero los abortos —legales— practicados por ésta con anterioridad (SAP de Valencia, de 14 de mayo de 1999 —Ar. 2093—); sin embargo, el Tribunal Supremo, con buen criterio, casó y anuló dicha sentencia, estimando que los extremos revelados forman parte de la intimidad más estricta (STS de 4 de abril de 2001 —El Der.,

2001/3341—). E, igualmente, la citada Audiencia absolvió a un trabajador, acusado por este delito, que había presentado en un juicio laboral documentos internos de la empresa demandada, aduciendo que esa información, que en principio debía ser secreta, carecía de carácter reservado en la medida en que era conocida por otros trabajadores del centro («sólo el Juez y el secretario, y tal vez quien vino a redactar la sentencia, dice el Tribunal, vinieron a conocer el contenido, pero ellos no son aquellos que por su conocimiento contribuyan a la consumación del delito» (sic) STS de 5 de julio de 1999 —Ar. 3628—). No obstante, en esta última resolución el Tribunal no entra a valorar si los datos revelados afectan al bien jurídico intimidad, basando su resolución, exclusivamente, en la ausencia de carácter secreto, siendo así que la índole puramente laboral de la información habría de fundar, también, la resolución absolutoria.

Teniendo esto presente, la aplicación del ejercicio legítimo de un oficio como causa de justificación será del todo inusual dado que, en el primer párrafo, la conducta sólo se reputa antijurídica si se revela información que no afecta, en sentido estricto, al oficio del autor; mientras en el segundo no basta la divulgación de datos profesionales en el ejercicio regular de la profesión, sino que el autor ha de actuar fuera de esa actividad normal, vulnerando su obligación de sigilo.

Por lo aquí interesa, las conductas examinadas presentan una extraordinaria importancia cuando la información reservada se difunde a través de *Internet*, permitiendo, de esta forma, el acceso a un colectivo indeterminado de destinatarios; pues, no cabe duda de que este artículo resultará aplicable a quien, conociendo su obligación de sigilo, divulgue o facilite para su difusión por la red los datos reservados de que tuviere noticia por razón de su profesión u oficio.

En materia de concursos, se aplicará este artículo en lugar del delito de revelación de secretos recogido en el artículo 417, si el sujeto activo es autoridad o funcionario (v.gr., un médico de la seguridad social) y revela datos reservados que afectan a la intimidad ajena de los que tenga conocimiento por razón de su oficio o cargo, de acuerdo con las reglas que resuelven el concurso de leyes, y en concreto, con el artículo 8.4. En otro orden de ideas, cuando el profesional sea abogado o procurador y divulgue actuaciones procesales especialmente declaradas secretas (según el artículo 302 de la LECrim. —pues nótese que el artículo 301 castiga con una simple multa la revelación indebida del secreto sumarial—) podrá concurrir un concurso ideal de delitos entre los previstos en los artículos 199.2 y 466 del Código penal, si los secretos desvelados pertenecen a la intimidad de un particular, toda vez que cada una de esas conductas puede realizarse separadamente, (pues los datos declarados secretos no han de ser necesariamente íntimos, y a la inversa, éstos se protegen también al margen del proceso), afectando a bienes jurídicos diferentes (vid., de esta opinión, Quintero Olivares). Ahora bien, si la declaración de secreto sumarial respondiera, precisamente, al propósito de salvaguardar la privacidad de alguno de los implicados (un menor, por ejemplo), parece coherente mantener que se produciría un concurso de normas sujeto a la disciplina del artículo 8º.

Por último, una de las cuestiones especialmente problemáticas de este ilícito es la atinente al tiempo que dura la obligación de guardar sigilo, y, en concreto, si pervive una vez rota la relación laboral. En algunos casos, este extremo estará previsto en la propia norma que establezca el deber de reserva; empero, cuando dicha disposición no disponga nada al respecto, podría defenderse la vigencia indefinida de la obligación, basándose, para ello, en la singularidad que presenta la fuente de la información en estos supuestos; esto es: en la especial relación existente entre el trabajador y la empresa, en el momento de acceder a los datos secretos, que posibilitó su conocimiento. Sin embargo, parece excesivo mantener la potencial aplicación de este delito una vez roto totalmente el vínculo entre el empleado y la empresa (entendiéndose vigente la relación en tanto no se resuelven todas las cuestiones anejas a su extinción —resolución del contrato, reclamaciones judiciales, etc.—), máxime si tenemos en cuenta que estamos ante un tipo agravado, cuya no aplicación no implica necesariamente la impunidad, pudiéndose traer a colación alguna de las infracciones previstas en el artículo 197, por cuanto desvelar un secreto de otro (conocido, en este caso, por razón del oficio o las relaciones laborales), puede suponer un atentado a la intimidad ajena. Por lo que hace al profesional, cabe entender que en tanto la obligación de sigilo es inherente a esa cualidad, reviste un carácter más permanente.

6. *DATOS RESERVADOS DE PERSONAS JURÍDICAS*

Artículo 200: *«Lo dispuesto en este capítulo será aplicable al que descubriere, revelare o cediere datos reservados de personas jurídicas, sin el consentimiento de sus representantes, salvo lo dispuesto en otros preceptos de este Código».*

En esta disposición se amplía la protección penal a los datos reservados de personas jurídicas, operando con la ficción de que tienen intimidad, siendo así que este derecho corresponde, exclusivamente, a las personas físicas, como ha precisado el Tribunal Constitucional en alguna resolución («el derecho a la intimidad que reconoce el artículo 18.1 de la Constitución por su propio contenido y naturaleza, se refiere a la vida privada de las personas individuales, en la que nadie puede inmiscuirse sin estar debidamente autorizado, y sin que en principio las personas jurídicas, como Sociedades mercantiles, puedan ser titulares del mismo, ya que la reserva acerca de las actividades de estas Entidades, quedarán, en su caso, protegidas por la correspondiente regulación legal, al margen de la intimidad personal y subjetiva constitucionalmente decretada» (sic) —STC 257/1985, de 17 de abril de 1985—). De acuerdo con ello, la doctrina generalmente interpreta este precepto en sentido restrictivo, considerándolo aplicable tan sólo cuando resulte afectada la intimidad de alguna persona física —socios o empleados de la empresa, etc.— (Morales Prats, 1996, 2001), si bien algunos autores, buscando una explicación más acorde con el principio de vigencia, aluden como posible razón de ser de esta norma a la estrecha relación existente entre intimidad y honor (Díaz-Maroto y Villarejo) —derecho éste que el intérprete de la Constitución ha reconocido a las personas jurídicas en alguna ocasión—, sin dejar por ello de cuestionar la virtualidad de semejante disposición.

Sin embargo, no es menos cierto que algunos datos de carácter económico forman parte del derecho fundamental a la intimidad (Auto del TC 642/1986, de 23 de julio de 1986), de modo que una interpretación teleológica, que atienda sólo al bien jurídico protegido en el presente título, parece conducir a la sinrazón de proteger esa información cuando su titular sea una persona física, negando la tutela punitiva, en cambio, cuando pertenezca a una persona jurídica; motivo por el que, quizá, alguna jurisprudencia ha interpretado este delito en sentido amplio, castigando el apoderamiento de secretos relativos a la actividad económica de una empresa (en concreto, en la SAP de Alicante, de 22 de marzo de 1999 —El Der., 1999/ 10834—, se aplicó este artículo, condenando al acusado que había fotocopiado los documentos concernientes al activo y pasivo de la entidad demandante). Ahora bien, como ha declarado el intérprete de la Constitución, únicamente forman parte de la intimidad aquellas actuaciones económicas de un sujeto cuyo análisis permite reconstruir, no ya su situación patrimonial sino el desarrollo de su vida íntima personal y familiar; en clara alusión, por tanto, a las personas físicas (SSTC 142/1993, de 22 de abril de 1993, y 143/1994, de 9 de junio) (en este sentido, durante la vigencia del Código anterior Bajo Fernández puso ya de manifiesto que ciertos datos económicos revelan aspectos de la vida privada: un contrato matrimonial, las constituciones de dote, sanciones económicas, cantidades pagadas en caso de divorcio, etc.). De acuerdo con ello, encontramos en la práctica forense resoluciones, ciertamente sorprendentes, por cuanto en ellas no se considera que reúna aquella condición (afección de la intimidad) la recopilación de datos económicos suficientes (a través de alguna de las acciones descritas en el artículo 197) para acreditar la capacidad económica de un tercero deudor (en concreto, en la SAP de Málaga, de 2 de marzo de 1999 —Ar. 1163—, se llega a esta conclusión respecto a la acusada que, en un proceso de separación matrimonial aportó como prueba las agendas de su esposo, médico de profesión, en las que constaban las citaciones realizadas, así como los talonarios de facturas, y el libro registro relativo al ejercicio de dicha actividad profesional; entendiendo el Tribunal que aquélla no se había apoderado —y revelado— datos íntimos del afectado sino tan sólo datos económicos precisos para el ejercicio del derecho que a ella le incumbía a la obtención de los gananciales). En consecuencia, tampoco desde este punto de vista se puede afirmar que la limitación apuntada, en cuanto al sujeto pasivo de estos delitos, encierre discriminación alguna en perjuicio de las personas jurídicas.

Por otra parte, dicha exégesis no supone que la información relativa a la actividad financiera de esas entidades quede al margen de la tutela punitiva, ya que si afecta a la capacidad competitiva de la empresa será objeto de protección a través de los delitos relativos al mercado y a los consumidores (*artículos* 278 y ss.), y si trasciende a la intimidad de sus miembros pueden resultar de aplicación los preceptos anteriores.

Así pues, *de lege data*, parece preferible mantener una interpretación restrictiva de esta norma, acorde con el objeto de tutela que preside este título, excluyendo su aplicación cuando no se vea afectada la intimidad de alguna persona física; aun cuando ello comporte no atribuirle otro valor que el meramente recordatorio de que las vulneraciones recayentes sobre personas jurídicas pueden afectar a la intimidad de personas físicas, en cuyo caso resultarán punibles.

7. *REQUISITOS DE PERSEGUIBILIDAD*

Artículo 201: *«Para proceder por los delitos previstos en este capítulo será necesaria denuncia de la persona agraviada o de su representante legal. Cuando aquella sea menor de edad, incapaz o una persona desvalida, también podrá denunciar el Ministerio Fiscal.*

2. No será precisa la denuncia exigida en el apartado anterior para proceder por los hechos descritos en el artículo 198 de este Código, ni cuando la comisión del delito afecte a los intereses generales o a una pluralidad de personas.

3. El perdón del ofendido o de su representante legal, en su caso, extingue la acción penal o la pena impuesta, sin perjuicio de lo dispuesto en el segundo párrafo del número 4° del artículo 130».

El artículo 201 incorpora un presupuesto de carácter procesal, la previa presentación de denuncia, al propio tiempo que confiere eficacia al perdón del agraviado o de su representante legal, todo ello de acuerdo con el carácter personal y disponible del bien jurídico protegido por estos delitos. No obstante, el párrafo segundo excluye la exigencia de denuncia respecto al artículo 198, en el que, como vimos, se recoge una agravación basada en el carácter de funcionario público o autoridad del sujeto activo, lo que no puede ser de otro modo teniendo en cuenta que hay implicados intereses generales, en este caso relacionados con el correcto ejercicio de la función pública. Por igual motivo, se omite también esa condición de perseguibilidad cuando el delito afecte a intereses generales o a una pluralidad de personas. Sin embargo, sorprende que ese mismo criterio no haya llevado al legislador a negar expresamente la eficacia del perdón del ofendido en tales casos, teniendo en cuenta, además, las dificultades prácticas que entraña la obtención del perdón de todos los agraviados cuando el delito afecta a una pluralidad de personas, único supuesto, de los enumerados en el apartado 2º, en el que los intereses afectados pueden resultar individualizables. Incongruencia que es salvada por el Tribunal Supremo negando la virtualidad del perdón, incluso, en esta última hipótesis (**STS** de 9 de octubre de 2000 —El Der., 2000/ 30252—) (vid., en general, Alonso Rimo).

Capítulo II

DELITOS CONTRA EL PATRIMONIO

1. ESTAFAS COMETIDAS POR MEDIOS INFORMÁTICOS

> Artículo 248: *«Cometen estafa los que, con ánimo de lucro, utilizaren engaño bastante para producir error en otro, induciéndolo a realizar un acto de disposición en perjuicio propio o ajeno.*
> *2. También se consideran reos de estafa los que, con ánimo de lucro, y valiéndose de alguna manipulación informática o artificio semejante consigan la transferencia no consentida de cualquier activo patrimonial en perjuicio de tercero».*

El segundo apartado de este precepto fue introducido por el legislador de 1995 con el fin de colmar la laguna punitiva existente en aquellos casos en que la privación ilegítima de activos patrimoniales se realizaba a través de artificios informáticos, haciendo difícil su incardinación en los tipos tradicionales, al faltar el engaño y el error esenciales en el delito de estafa, y resultar forzada, también, la equiparación de esas manipulaciones técnicas con el apoderamiento propio del hurto; negando, además, un sector doctrinal que el llamado dinero contable pudiera estimarse un bien mueble, objeto material de esta infracción, considerándolo un derecho de crédito, obtenido por el autor a través de la manipulación informática (de esta opinión, por ejemplo, Romeo Casabona, 1993; y Gutiérrez Francés, 1996). Así las cosas, si un *ladrón* avezado en informática, mediante órdenes falsas, alteración de programas, etc., conseguía ingresar fraudulentamente en su patrimonio cantidades económicas correspondientes a un particular o a una entidad bancaria, el juzgador se veía en la tesitura de tener que aplicar analógicamente tipos creados para sancionar otra clase de acciones, o dejar impune la conducta. Pues bien, el párrafo segundo regula ahora, con más o menos acierto, todas esas defraudaciones efectuadas a través de mecanismos informáticos.

a) Bien jurídico protegido

Al tratar del delito de estafa, la doctrina suele negar que el objeto de tutela lo integre tan solo el derecho de propiedad, cifrándolo en el concepto más amplio de patrimonio, entendido en sentido más o menos estricto según se mantenga una concepción jurídica, económica, o mixta; apreciaciones que no se han visto empañadas por la introducción de esta nueva modalidad delictiva. Precisamente, la estafa informática consiste en la transferencia no consentida de dinero o, como dice este precepto, de cualquier activo patrimonial. Por lo tanto, el bien jurídico protegido no puede constituirlo un derecho patrimonial —propiedad— que bascula sobre cosas corporales específicamente determinadas, con exclusión de los bienes genéricos y de los incorporales (Albaladejo).

b) Sujetos

En relación con el sujeto activo no se presentan particularidades relevantes, pudiendo cometer el delito tanto las personas legitimadas para acceder al sistema, como terceros no autorizados, siempre que para conseguir el fraude recurran a alguna manipulación informática.

Mayores dificultades presenta la delimitación del sujeto pasivo, toda vez que la particular dinámica comisiva de esta infracción hace que muchas veces, además del titular del patrimonio defraudado, se vea implicada alguna entidad bancaria, puesto que éstas asumen en ocasiones los perjuicios causados a sus clientes cuando la defraudación tiene lugar a través del sistema informático de la propia entidad. Con todo, como es común en los delitos patrimoniales, debe reputarse sujeto pasivo al titular del patrimonio afectado por la acción delictiva, sin perjuicio de que el banco pueda ser perjudicado civil si abonare a su cliente la cantidad estafada, subrogándose en su lugar frente al responsable civil.

c) Conducta típica

El nuevo precepto recoge la estafa cometida a través de cualquier *manipulación informática o artificio semejante*, declarando la tipicidad de todas aquellas conductas que mediante estos artilugios, con ánimo de lucro y en perjuicio de tercero, logren la transferencia no consentida de activos patrimoniales. De forma que el engaño y el error son reemplazados por el uso de cualquier ardid informático, si bien no se mencionan las concretas maniobras fraudulentas, recurriendo el legislador a una cláusula genérica en la que queda comprendida toda manipulación informática, esto es, cualquier modificación del resultado de un proceso automatizado de datos, mediante la alteración de los datos que se introducen o de los ya contenidos en el ordenador, en cualquiera de las fases de su procesamiento o tratamiento informático (cfr. Romeo Casabona, 1987).

Así pues, la conducta típica puede consistir en la introducción de datos falsos en el ordenador (manipulaciones del *input*), en la alteración del orden del proceso (manipulación del programa y de la consola), o en el falseamiento del resultado, inicialmente correcto, obtenido del ordenador (Sieber, 1992). (En general, la manipulación de los datos se conoce como «*data dilling*» —Taddei Elmi—).

Comúnmente, se distingue entre estafas cometidas «fuera del sistema», y «dentro del sistema». En las primeras la manipulación de datos se efectúa antes, durante o después de la elaboración del programa, quedando registradas de forma asequible directamente al conocimiento del hombre, y dando lugar al engaño que ocasiona la disposición patrimonial. En las segundas, la manipulación (que puede consistir en introducir datos falsos, o en alterar o suprimir los existentes) actúa directamente sobre el sistema operativo, o lo que es lo mismo, sobre la máquina, que es la que «realiza» el acto de disposición patrimonial, sin que exista engaño o error sobre un ser humano (Gutiérrez Francés, 1991). Mas, dada la técnica legislativa utilizada por el legislador español, ambas categorías quedan comprendidas en el tipo que nos ocupa, acabando, así, con la impunidad de las alteraciones de datos informatizados en las que no interviene ninguna persona física previamente engañada.

En este sentido, se ha considerado estafa informática, por ejemplo, la utilización de una tarjeta de crédito sustraída, simulando la firma de su titular, y engañando así en los comercios en los que el sujeto activo se presenta como legítimo tenedor de la tarjeta, y titular de la cuenta corriente a la que se han de efectuar los cargos correspondientes a la mercancía adquirida, (actuación que se conoce como «*carding*», o uso ilegítimo de las tarjetas de crédito, o de sus números, pertenecientes a otras personas). Postura que en algunas resoluciones se justifica señalando que «esta clase de estafas en las que se asegura una operación mediante una firma electrónica coincidente con la clave identificativa que figura en la banda magnética de las tarjetas, se aparta de la clase tradicional de estafas ya que el engaño se sofistica, haciéndose de este modo con un activo patrimonial a través de una transferencia no consentida, que es lo que tipifica el nuevo artículo 248.2 del Código penal» (SAP de Las Palmas, de 19 de octubre de 1998 —Ar. 4613—, y SAP de Tarragona, de 8 de junio de 1998 —Ar. 3062—). No obstante, esta solución no deja de suscitar reparos, en la medida en que la acción que desencadena la transferencia no consentida es anterior a la introducción de los datos en el sistema informático, situándose en el momento de la falsificación de la firma. Y a estos efectos el que la firma imitada sea la contenida en la cinta magnética, como se aduce en las sentencias citadas, no tiene otra virtualidad que la de calificar el delito como falsificación en documento mercantil, sin que se aprecie, propiamente, una manipulación informática. Mas, la aplicación del apartado segundo del artículo 248, por parte de esas Audiencias, parece estar motivada por una razón distinta: en la adquisición de productos mediante tarjetas de crédito sustraídas el acto de disposición patrimonial se materializa en una transferencia bancaria; por lo tanto, no existe el desplazamiento físico que tradicionalmente ha caracterizado a la estafa. Sin embargo, es de notar que la maniobra del autor, presidida por el ánimo de lucro, no se aparta por ello de los cauces propios de la estafa genérica: el acto de disposición (la transferencia patrimonial) responde al error que, gracias al engaño producido a través de la falsedad documental, sufre la persona física que ordena la transferencia; sin que empezca a esa calificación el hecho de que la titularidad de la cuenta corresponda a un tercero, como se ocupa de precisar expresamente el artículo 248.1 (en perjuicio propio o de tercero). En consecuencia, más que ante una estafa informática estamos ante una modalidad de la figura genérica, en la que el acto de disposición se concreta en lo que se conoce como dinero contable (activo patrimonial que, pese a las consideraciones contrarias formuladas por algunos autores bajo la vigencia del anterior texto punitivo, se admite hoy como objeto del delito de estafa, como se desprende del artículo 248.2 —estafa informática— del Código vigente).

Más acertada resulta, en cambio, la solución adoptada por la jurisprudencia en otro supuesto, relacionado con el anterior: la utilización de una tarjeta de crédito, previamente sustraída, para extraer dinero de un cajero automático; hipótesis que algunos autores calificaban como robo con fuerza (de esta opinión, Romeo Casabona, 1993), y otros como delito de estafa (Matellanes Rodríguez, entre otros). La jurisprudencia, que en un principio se debatió entre los delitos de robo y hurto, se ha mantenido constante a partir de la sentencia del Tribunal Supremo de 6 de marzo de 1989, en la que aplicó definitivamente el delito de robo con fuerza, tras considerar que dichas tarjetas debían estimarse llaves a efectos de esta infracción: «aun cuando las tarjetas de crédito no son llaves en el puro sentido morfológico de la expresión, lo son en el aspecto funcional en cuanto sirven en la práctica para acceder al local donde el cajero se encuentra ubicado o para acceder a las teclas que hay que manipular para dar la correspondiente orden a la máquina» (sic) (SSTS de 25 de abril de 1996 —Ar. 2995—, 22 de diciembre de 1998 —Ar. 10324—, y 16 de marzo de 1999 —Ar. 1442—; SAP de Huesca de 24 de noviembre de 1995 —Ar. 1307—, SAP de Zaragoza de 4 de marzo de 1997 —Ar. 310— y SAP de Baleares de 24 de octubre de 1997 —Ar. 1469—); criterio que hoy recoge el artículo 239 del Código penal. A propósito de lo cual, el Alto Tribunal precisa en alguna resolución que sólo procede la calificación de robo cuando se utilizan tarjetas previamente sustraídas, y no en el caso de que hubieran sido extraviadas por su dueño —en cuyo supuesto habría que calificar de hurto la infracción—, restringiendo con ello el concepto de llaves falsas contenido en el artículo 239, en el que, como es sabido, se incluyen las legítimas perdidas por el dueño. (Vid., al respecto, las SSTS de 25 de abril de 1996 —Ar. 2995—, y 22 de diciembre de 1998 —Ar. 10324—). Además, como se desprende de estas resoluciones, para que exista infracción penal es requisito ineludible que el autor conozca el número secreto de la tarjeta, de lo contrario, el intento de acceder a la cuenta ajena a través de ella deberá calificarse como tentativa imposible, y, por lo tanto, resultará impune (SAP de Almería de 27 de marzo de 1999 —Ar. 1621—). (En Alemania, v.gr., el número de estafas cometidas a través de tarjetas de crédito —*Kreditkartenbetrug*— aumentó de 2.551 en 1990, a 29.632 en

1995, disminuyendo desde entonces su incidencia al incrementarse los sistemas de seguridad de los bancos) (Günter).

Como vemos, por tanto, en este último supuesto —robo en cajero automático haciendo uso de una tarjeta sustraída—, el Tribunal Supremo niega, acertadamente, la aplicación del delito de estafa: «con relación al nuevo artículo 248.2 del Texto Penal vigente de 1995 hay que entender que dicho fraude informático no contempla la sustracción de dinero a través de la utilización no autorizada de tarjetas magnéticas sobre los denominados "cajeros automáticos", porque la dinámica comisiva no parece alejada de la clásica de apoderamiento, aunque presenta la peculiaridad de la exigencia del uso de la tarjeta magnética para poder acceder al objeto material del delito» (STS de 16 de marzo de 1999 —Ar. 1442—). En consecuencia, el citado Tribunal casa y anula las sentencias dictadas en primera instancia en las que se había apreciado dicha defraudación (Vid., por ejemplo, la STS de 29 de abril de 1999 —Ar. 4127—), adoptando una postura acorde con la nueva regulación del delito de robo prevista en el Código penal de 1995, y, en particular con el concepto de llaves falsas recogido en su artículo 239. Siguiendo un criterio similar, la Audiencia Provincial de Madrid entendió que no había manipulación informática en el acto de utilizar el acusado un cupón que no le pertenecía en el torniquete de acceso al metro, logrando de esta forma no pagar el coste de viaje (SAP de Madrid, de 21 de abril de 1999 —Ar. 2047—).

En cambio, sí es subsumible en el artículo 248.2 otra modalidad de *carding* consistente, no en usar la tarjeta de otra persona, sino en generar un número propio, tras descifrar el sistema empleado por un banco en la elaboración de los códigos correspondientes a sus clientes, cargando débitos a ese número. Y esa misma calificación procederá si el autor, en lugar de crear un número personal, averigua mediante esa técnica el código perteneciente a algún cliente de la entidad bancaria, utilizándolo más tarde como propio (en Estados Unidos los *hackers* han logrado ya descifrar, mediante esta técnica, los números de algunos de los empresarios más ricos de ese país, como Steven Spilberg, o Ted Turner); o cuando, entrando en la contabilidad de su propio banco, logra anotar en su cuenta una cantidad superior a su activo real; o hace una transferencia desde el sistema contable de cualquiera entidad a una cuenta propia o ajena (vid., por ejemplo, la STS de 22 de septiembre de 2000. —El Der., 2000/29737—). En todos estos casos, la manipulación informática es el arbitrio empleado para lograr la defraudación. Un caso paradigmático fue el ocurrido en 1974 en Alemania, en el German Herstatt Bank, en el cual se manipularon datos del balance por un valor de alrededor de mil millones de marcos alemanes. Asimismo, en 1994 un grupo de ciudadanos rusos demostró que estas manipulaciones podían ejecutarse mediante la red informática, de modo que, operando desde San Petersburgo, consiguieron transferir a sus cuentas diez millones de dólares procedentes de un banco norteamericano (Sieber, 1999; vid. otros supuestos en Tiedemann). Y, recientemente, la Cámara de Comercio Internacional ha desarticulado una red de estafadores que operaba a través de *Internet*, falsificando avales bancarios por valor de 729.300 millones de pesetas, actuando con direcciones que simulaban conexiones con *webs* pertenecientes a entidades solventes, como Euroclear, la sociedad dedicada a compensaciones en Europa, y Bloomberg, la agencia de servicios financieros (noticia publicada en el diario El País de 13 de abril de 2001).

Asimismo, sería incardinable en esta estafa específica otra conducta defraudatoria, que en Estados Unidos ha dado lugar ya a varias condenas: la utilización de ciertos programas (conocidos como «virus salami»), mediante los cuales el programador desvía a una cuenta propia los céntimos de las operaciones financieras realizadas por la entidad bancaria (céntimos que muchas veces ni siquiera se incluyen en los extractos que reciben los clientes), obteniendo sumas prominentes gracias a miles de transferencias de cantidades irrisorias (Taddei Elmi). Operación que habría de sancionarse a través de las figuras del delito masa o delito continuado, según fuesen los agraviados una pluralidad de clientes o el propio banco.

Finalmente, no vemos obstáculo para aplicar esta figura cuando un *hacker* utiliza su pericia con los ordenadores, no para lograr un incremento positivo de su patrimonio, sino para reducir o cancelar una deuda existente, alterando o borrando los datos relativos a ese débito en la contabilidad de la persona o entidad acreedora. En este caso el autor consigue un activo patrimonial que le permite disminuir o saldar su deuda, a través de una transferencia no consentida, siquiera sea ficticia.

Siguiendo ahora con los requisitos de esta modalidad defraudatoria, junto a la manipulación informática, deben concurrir los demás elementos de la estafa tradicional: ánimo de lucro, acto de disposición, y existencia de perjuicio patrimonial para un tercero, concretándose el acto dispositivo en una transferencia no consentida, es decir, un procedimiento meramente contable a través del cual se cargan débitos, se descuentan activos o se ordenan ingresos a favor del sujeto activo que, de esta forma, adquiere un derecho de crédito o cierta prestación o servicio. Desde esta premisa, como puso de relieve Valle Muñiz, las únicas manipulaciones o artificios punibles son aquellos capaces (idóneos) de provocar una transferencia ilícita de activos patrimoniales.

Por lo que hace al perjuicio patrimonial, la estafa informática no presenta especialidades destacables en relación con la modalidad genérica, en cuyo seno el Tribunal Supremo ha definido este elemento como una «disminución del patrimonio, tras la obligada comparación de la situación del sujeto pasivo, antes y después del acto de disposición» (STS de 27 de enero de 1999 —Ar. 830—). Definición, no obstante, que ha merecido las críticas de un sector doctrinal (Vives Antón/ González Cussac, 1996, 1999), en el sentido de considerar suficiente, para que exista perjuicio, la salida ilegítima de cualquier elemento patrimonial perteneciente al sujeto pasivo, siempre que la contraprestación recibida sea de inferior valor económico, sin requerirse, por tanto, que el patrimonio en su conjunto se vea efectivamente disminuido. Sin embargo, esta cuestión tiene escasa importancia en la modalidad que nos ocupa, dado que la transferencia fraudulenta raramente irá acompañada de contraprestación.

d) Aspecto subjetivo

El *ánimo de lucro* requerido en el tipo encarna un elemento subjetivo del injusto que puede definirse en general como «intención de enriquecimiento a costa del empobrecimiento de la víctima» (STS de 2 de abril de 1998 —Ar. 3762—); cuya virtualidad reside, esencialmente, en la exigencia implícita de dolo directo en el ámbito de la culpabilidad. Por consiguiente, aun cuando resultan difíciles de imaginar, deben excluirse aquellas hipótesis en las que el objetivo del autor no sea conseguir la cantidad «estafada», obtenida en el desarrollo de operaciones informáticas realizadas con otro propósito.

e) Especiales formas de aparición del delito

La consumación de la estafa informática se produce en el momento en que el sujeto *consigue* la transferencia no consentida. Consecuentemente, se precisa la efectiva producción del desplazamiento patrimonial con el perjuicio y enriquecimiento consiguientes, lo que no impide apreciar la infracción en grado de tentativa si una vez realizada o comenzada la manipulación no llega a producirse el resultado señalado.

En materia concursal, como hemos visto, los Tribunales aprecian a veces un concurso entre el presente delito y el de falsedad documental, cuando el sujeto falsifica la firma correspondiente al titular de una tarjeta de crédito sustraída, para conseguir así una transferencia patrimonial no consentida, postura cuya idoneidad hemos cuestionado. Por el contrario, sí parece ésta la solución correcta si, en ese mismo supuesto, en lugar de imitar la firma se falsifica la propia tarjeta bancaria, que en el vigente Código merece la calificación de documento mercantil (SSTS de 25 de abril de 1996 —Ar. 2995—, y 22 de diciembre de 1998 —Ar. 10324—; y SAP de Las Palmas de 19 de octubre de 1998 —Ar. 4613—), de acuerdo con el concepto de documento contenido en el artículo 26: «todo soporte material que exprese o incorpore datos, hechos o narraciones con eficacia probatoria o cualquier otro tipo de relevancia jurídica». Definición que ha sido desarrollada por el Tribunal Supremo en el sentido siguiente: dicho soporte debe ser indeleble —adjetivo que sólo puede admitirse si se interpreta como equivalente a duradero, y no como imborrable—, sin quedar, no obstante, reservado ese concepto al papel; además, su contenido ha de ser atribuible a una persona humana determinada o determinable (aunque sea necesario el auxilio de medios técnicos de público acceso), cuya declaración sea significativa en sí misma (excluyéndose, por ejemplo, los documentos en clave); por último, el documento ha de haber entrado en el tráfico jurídico (STS de 16 de diciembre de 1998 —Ar. 10349—).

Acogiendo la postura mantenida por el Alto Tribunal en relación con la estafa genérica, deberán aplicarse entonces (es decir, en caso de falsificarse la tarjeta para conseguir la transferencia económica) las reglas del concurso ideal consignadas en el artículo 77 del Código penal: «cuando la falsificación de documento o documentos públicos, oficiales o de comercio es medio para perpetrar la estafa, como las infracciones falsarias no requieren, para su perfección, defraudación alguna o propósito de causarla, se produce un "plus" de antijuridicidad que debe sancionarse por la vía del concurso ideal regulado en el artículo 71 —del anterior Código penal—, concretamente en su hipótesis de medial, instrumental o teleológica» (STS de 10 de junio de 1986 —Ar. 3131—) (vid., también, la STS de 16 de diciembre de 1998 —Ar. 10349—; y la SAP de Tarragona de 8 de junio de 1998 —Ar. 3062—).

f) Penalidad

La pena prevista para los casos descritos en el artículo 248.2 es la de prisión de seis meses a cuatro años, siempre que la cantidad defraudada exceda de cincuenta mil pesetas, pues si no supera esa cuantía se estará ante una falta del artículo 623.4. Para la fijación de la sanción concreta se tendrá en cuenta el importe de lo defraudado, el quebranto económico causado al perjudicado, las relaciones entre éste y el defraudador, los medios empleados y cuantas otras circunstancias sirvan para valorar la gravedad de la infracción (artículo 249).

No obstante, si la conducta revistiese especial gravedad, atendiendo al valor de la defraudación, a la entidad del perjuicio y a la situación económica en que se deje a la víctima o a su familia, las penas aplicables serán las de prisión de uno a seis años y multa de seis a doce meses (artículo 250.6).

2. DEFRAUDACIONES DE FLUIDO ELECTRICO Y ANALOGAS

Artículo 255: *«Será castigado con la pena de multa de tres a doce meses el que cometiere defraudación por valor superior a cincuenta mil pesetas, utilizando energía eléctrica, gas, agua, telecomunicaciones u otro elemento, energía o fluido ajenos, por alguno de los medios siguientes:*

1° Valiéndose de mecanismos instalados para realizar la defraudación.
2° Alterando maliciosamente las indicaciones o aparatos contadores.
3° Empleando cualesquiera otros medios.»

Artículo 256: *«El que hiciere uso de cualquier equipo terminal de telecomunicación, sin consentimiento del titular, ocasionando a éste un perjuicio superior a cincuenta mil pesetas, será castigado con la pena de multa de tres a doce meses.»*

Artículo 623.4: *«Serán castigados con arresto de dos a seis fines de semana o multa de uno a dos meses:*
«4. Los que cometan estafa, apropiación indebida o defraudación de electricidad, gas, agua u otro elemento, energía o fluido, o en equipos terminales de telecomunicación, en cuantía no superior a cincuenta mil pesetas.»

2.1. Defraudaciones en las telecomunicaciones

En el artículo 255 se incriminan, junto a las defraudaciones tradicionales de fluido eléctrico, de gas, agua, las producidas en las telecomunicaciones, respecto de las cuales destacamos los siguientes extremos:

– las defraudaciones típicas son las cometidas por los consumidores en perjuicio de los suministradores (como en el caso enjuiciado en la SAP de Las Palmas, de 26 de septiembre de 1996, a raíz de que varios usuarios recibieron suministro de energía eléctrica a costa de la empresa X, sin abonar cantidad alguna por ello, gracias a las manipulaciones efectuadas por A.M.,…);

– las defraudaciones de que pueden ser víctimas los usuarios han de ser remitidas a la estafa (Vives Antón/González Cussac), sin descartar en algunos supuestos la remisión a los delitos relativos al mercado y a los consumidores, en concreto al delito del artículo 283 (Quintero Olivares), según el cual

«se impondrán las penas de prisión de seis meses a un año y multa de seis a dieciocho meses a los que, en perjuicio del consumidor, facturen cantidades superiores por productos o servicios cuyo costo o precio se mida por aparatos automáticos, mediante la alteración o manipulación de éstos». (Vid. el estudio de Martínez-Buján sobre este precepto).

– la conducta punible gira en torno a la defraudación, entendida como utilización indebida, sea porque se efectúa una conexión o toma que permite utilizar una energía o unas telecomunicaciones sin tener derecho a ello, porque no se ha suscrito el correspondiente contrato y verificada la correspondiente alta en el servicio de que se trate, etc., sea porque aun habiendo un contrato, un alta o una autorización, se realiza alguna de las manipulaciones tasadas en el artículo 255; manipulaciones que implican obtener un servicio sin derecho a ello u obtener suministro de energía o aprovechamiento de telecomunicaciones en cuantía superior a la que se abona, ocasionando en ambos casos un perjuicio superior a las cincuenta mil pesetas, (vid. las SSAP de Granada de 20 de mayo y 28 de septiembre del 2000, y de Málaga de 2 de enero del 2001).

En el ámbito de las transmisiones electrónicas, cabe pensar en varias posibilidades: desde la defraudación a la empresa que tiene a su cargo el suministro de electricidad, mediante la instalación de un mecanismo que haga que el aparato contador del consumo eléctrico indique una cifra inferior a la realmente consumida —aunque para alcanzar una defraudación de más de cincuenta mil pesetas a base de utilizar unos equipos informáticos será necesario hacerlos funcionar muchas horas; algo más al alcance de una empresa que al de un particular—; hasta eventuales manipulaciones en los sistemas de control de las empresas proveedoras y suministradoras de la conexión a *Internet* o de la compañía telefónica. Estas dos últimas de no fácil realización, cuando se manejan los ordenadores con arreglo a la llamada tarifa plana, dentro del horario permitido; entre otras cosas porque es indistinto que se permanezca conectado a la red más o menos horas. Cuando se opera un sistema informático al margen de la tarifa plana es teóricamente más factible la defraudación, si se consigue alterar el sistema contador o marcapasos de la compañía telefónica, algo que no parece muy hacedero, o el sistema de que se sirva la empresa suministradora a la que aquél se encuentra conectado. Otras defraudaciones, como la que puede cometer un usuario cuando usa el servicio ofrecido por un administrador, tienen difícil acomodo en el delito analizado, porque tales servicios suelen brindarse a quienes adquieren una especie de bonos, que dan derecho a establecer conexión con el sitio deseado por un cierto número de horas, que se pagan mediante cargo en la tarjeta de crédito del cliente, y se controlan por el administrador que detecta cuándo alguien ha accedido y durante cuánto tiempo ha permanecido en el sitio.

Más compleja resulta la calificación que haya de hacerse de conductas relacionadas con recientes formas de repostar combustible, consistentes en la instalación de un *microchip* en la boca del depósito del propio vehículo, a través del cual, cuando se introduce la manguera, se envía información a una unidad de control que autoriza, tras una comprobación, el repostaje, que se abona en los primeros días del siguiente mes; o de pagar el peaje de las autopistas sin tener que detenerse en los lugares dispuestos al efecto, porque un lector óptico se encarga de registrar el paso de los vehículos merced a la estampación de una clave en el parabrisas de los mismos, y más tarde se factura por el número de viajes realizado en un determinado periodo de tiempo, contra la cuenta corriente del titular o usuario de aquéllos. Porque si alguien consiguiera manipular el *microchip* instalado en su coche para que señalara cantidades inferiores a las repostadas, no habría inconveniente en traer a colación el artículo 255, puesto que se habría defraudado un fluido ajeno por un medio incluible en alguno de los fijados en el referido artículo En cambio, la manipulación de la clave estampada en el parabrisas o en otra parte del automóvil, para evitar la detección de su paso resulta atípica, aunque puede ser subsumida en la falta de estafa del artículo 623.4. La instalación de un *microchip* sustraído, en la boca del depósito del vehículo propio, con la finalidad de proveerse de combustible que será cargado a otro, puede constituir una estafa del artículo 248.2. En cambio, se ha estimado que el acceso a una línea telefónica por medio de la imitación de una tarjeta telefónica puede integrar el delito defraudatorio del artículo 255 (SAP de Madrid, de 3 de octubre del 2000).

Por supuesto, queda fuera de la tipicidad el simple impago de alguna mensualidad a la empresa correspondiente, que determinará el corte del suministro o de la conexión por incumplimiento de las condiciones fijadas, y en algún caso, la consumación de una estafa, cuando desde un principio el sujeto no tuviera intención de cumplir la obligación contraída por su parte.

Como es bien sabido, el mero incumplimiento de una obligación civil no constituye un delito de estafa, pero puede ser el dato decisivo para estimarlo cometido, siempre que se acredite la existencia de un engaño «ab initio», que, casi siempre, estribará en el propósito de no verificar lo convenido (vid. las SSTS de 5 de octubre de 1981, 26 de marzo de 1982, 27 de marzo de 1993, entre otras).

Como antes dijimos, nos encontramos ante un delito de resultado, cuya consumación requiere la causación de un perjuicio económico superior a las cincuenta mil pesetas (de ser inferior, dará lugar a la aplicación de la falta del artículo 623.4). Es perfectamente posible la comisión en grado de tentativa, si se sorprende a quien pretende defraudar cuando ha conseguido, v. gr., instalar un mecanismo apto para la mixtificación. El problema estribará en que al no ser posible saber a cuánto hubiera ascendido la defraudación, y ser ésta decisiva para la calificación del hecho como delito o como falta, habrá de hacerse una interpretación alternativa y conforme a ella concluir que se está ante una tentativa de falta, punible con arreglo al artículo 15.2 del Código penal.

En materia de participación, quien realiza la alteración de indicadores o contadores o coloca o aplica los mecanismos y no se beneficia directamente, será cooperador necesario del que sí se beneficia, que será el autor. Nótese que el delito no pertenece, en principio, a la clase de los de propia mano, pues en el tipo no se exige que sea el sujeto activo quien instale los mecanismo, a que se refiere el número 1º, o los medios clandestinos, a que se alude en el número 3º, con los cuales se abarca prácticamente cualquier hipótesis. No obstante, la redacción dada al número 2º —«Alterando maliciosamente las indicaciones o aparatos contadores»— suscita alguna duda al respecto, por más que la elasticidad que se ha conferido a los números 1º y 2º haga prescindible al 2.

2.2. *Uso de equipos terminales de telecomunicaciones*

También en el marco de las defraudaciones, en el artículo 256, se inscribe un tipo penal, cuya oportunidad ha sido cuestionada al estimar desmesurado el recurso al Derecho penal para reprimir unas conductas para las que hubiera resultado suficiente, y acaso más eficaz, la vía civil o la disciplinaria (Quintero).

La conducta típica estriba en hacer uso del equipo terminal de telecomunicación, por tanto en servirse de éste conforme al destino para el que ha sido concebido. En esta expresión, «equipo terminal de telecomunicación» quedan abarcados teléfonos, fax, correo electrónico, etc. En consecuencia, el uso de cualquiera de estos artilugios, sin el consentimiento de su titular, puede dar lugar a la aparición del delito. Y el consentimiento faltará, tanto si se usan sin autorización, como si se hace un uso excesivo de los mismos, que rebasa los límites fijados por el titular o la persona autorizada a cuyo cargo se encuentra (Vives Antón/González Cussac).

De ese uso ha de derivarse un perjuicio, siendo sólo típico el perjuicio patrimonial —no ha de olvidarse que nos encontramos ante un delito del título XIII—, concretado en el gasto realizado por el usuario no autorizado; y no otra clase de perjuicios o inconvenientes que pueden seguirse para el titular de la terminal, por el uso que de la misma haya hecho el autor de la defraudación para cometer por *Internet* un delito de injurias, por ejemplo, o por averías en los equipos o pérdida del material archivado, consecuencia de un empleo inadecuado o de una acción intencionada. Dicho perjuicio ha de ser superior a las cincuenta mil pesetas (de no alcanzarse esta cuantía sería de aplicación la falta del artículo 623.4, pues aunque puede sembrar alguna duda la aplicación de este precepto para el uso ilegítimo de los equipos terminales de telecomunicaciones, porque cuando tiene lugar no es procedente hablar de estafa, ni de apropiación indebida, o defraudación de electricidad, gas, agua u otro elemento, energía o fluido, la específica referencia a equipos terminales de telecomunicación, en conexión con el término defraudación, faculta a considerar adecuada la aplicación del mencionado precepto, toda vez que el delito del artículo 256 está concebido o rotulado como una defraudación, con más o menos acierto).

Y la utilización indebida o no permitida puede producirse en el ámbito privado o en el público (en el que puede surgir un concurso aparente de normas penales con alguna variante de la malversación de caudales públicos).

Por lo tanto, en el artículo 256 no se castiga el mero uso de un equipo terminal de telecomunicaciones, sino el uso acompañado de un perjuicio cuantificable en más de cincuenta mil pesetas.

Sujeto activo es cualquiera que no sea titular o cotitular del equipo. Por consiguiente, el usuario autorizado puede ser autor del delito cuando se extralimita en el uso.

Sujeto pasivo es el titular del equipo, sea propietario o no del mismo; es, en definitiva, quien paga los gastos y cuotas generados por la instalación y/o el consumo de energía y/o de utilización —que en el caso de aparatos de un ente u organismo públicos, será la correspondiente Administración—, y sufre el perjuicio ocasionado por la utilización no permitida. No lo es, por tanto, el suministrador del servicio de que se trate (para el cual está pensado el delito del artículo 255).

Estamos ante un delito de resultado, como hemos avanzado, por cuanto ha de producirse el perjuicio para el titular del equipo para que pueda tenerse por consumado. Si el perjuicio no llega a materializarse podría hablarse de tentativa, y si se materializa, pero en cuantía inferior a las cincuenta mil pesetas, de la falta del artículo 624.

El delito requiere dolo, que habrá de comprender el perjuicio que se ocasiona; dolo que pudiera ser eventual, si el al autor del uso no está seguro de si se producirá el perjuicio o no, y no obstante prosigue con su propósito, asumiendo el que se genere.

3. LOS LLAMADOS «DAÑOS INFORMÁTICOS»

Artículo 263: *«El que causare daños en propiedad ajena no comprendidos en otros Títulos de este Código, será castigado con la pena de multa de seis a veinticuatro meses, atendidas la condición económica de la víctima y la cuantía del daño, si éste excediera de cincuenta mil pesetas»*

Artículo 264.2: *«La misma pena se impondrá (la del artículo 264.1) al que por cualquier medio destruya, altere o inutilice o de cualquier otro modo dañe los datos, programas o documentos electrónicos ajenos contenidos en redes, soportes o sistemas informáticos».*

En el vigente Código el legislador ha tomado conciencia de la especial trascendencia que puede presentar la manipulación de la información contenida en soportes informáticos, tipificando lo que se conoce como «sabotaje informático», «vandalismo informático», o «*cyberpunkt*» (artículo 264.2), esto es, la destrucción o inutilización del soporte lógico de un ordenador con el fin inmediato de imposibilitar la información procesada o almacenada (Romeo Casabona, 1987; Davara Rodríguez); cuyas repercusiones suele destacar la doctrina recurriendo a supuestos extremos, como la destrucción de bases de datos de empresas, la inutilización de los sistemas que permiten el funcionamiento de determinados servicios, etc. Por lo tanto, el mérito de esta nueva figura delictiva resulta incuestionable. Al propio tiempo, su tipificación separada del delito tradicional parece justificada en la medida en que la singularidad de su objeto hace que presente diferencias sustanciales en relación con el tipo básico del artículo 263.

Más discutible es, en cambio, la exclusión de esta modalidad delictiva de las circunstancias cualificativas previstas en el artículo 264.1 para los daños generales (como se deduce de su ubicación sistemática en el artículo 264.2), dado que, aun cuando la mayor parte de esas causas de agravación, por su propia naturaleza, resultan inaplicables a esta infracción (así ocurre con las previstas en los números 2° y 3° —en lo que se refiere a las sustancias venenosas—), no sucede lo mismo con la regulada en el número 1°: «que —los daños— se realicen para impedir el libre ejercicio de la autoridad o en venganza de sus determinaciones». En este caso, el incremento de la pena se basa en la existencia de una ofensa al principio de autoridad, que viene a sumarse al quebranto patrimonial propio del delito de daños; fundamento que concurre tanto si la acción recae sobre un bien material, como si afecta a los elementos lógicos de un sistema informático, por mucho que éstos tengan inicialmente asignada una pena mayor. Y este mismo argumento resulta aplicable también a la circunstancia 5ª.

En cualquier caso, la información contenida en redes, soportes o sistemas informáticos se considera ahora un activo patrimonial tutelable mediante esta figura de daños, que presenta un perfil más definido que el tipo de recogida previsto en la figura genérica descrita en primer lugar.

a) Bien jurídico protegido

El bien jurídico protegido es el patrimonio, si bien en este delito la acción del sujeto activo no lleva aparejada la incorporación de la cosa a su patrimonio o al de un tercero, ni se requiere siquiera que de su comisión se siga alguna suerte de beneficio económico. Los daños reposan exclusivamente sobre el menoscabo causado en una cosa ajena.

El objeto material se contrae a los datos, programas o documentos electrónicos ajenos contenidos en redes, soportes o sistemas informáticos, es decir, a los elementos lógicos, a los que se les atribuye una importancia superior a otros bienes. De ahí la previsión de una pena superior a la del tipo básico, seguramente teniendo presente la grave perturbación que estas actividades han ocasionado ya en el funcionamiento de entidades y empresas, públicas y privadas, y los elevados perjuicios económicos que de ellas pueden derivar.

b) Sujetos

Los sujetos de este delito no presentan singularidades, siendo el activo indiferenciado, y el pasivo, el titular de los datos, programas o documentos afectados, elementos que pueden pertenecer a una o a varias personas físicas, o a una persona jurídica.

c) Conducta típica

La conducta típica puede consistir en *destruir, alterar, inutilizar*, o en *dañar de cualquier otro modo* (cláusula superflua, después de enumerarse todas las posibles formas de quebranto del objeto material) los datos, programas o documentos electrónicos, acogiéndose, de este modo, la jurisprudencia que venía considerando como delito de daños no sólo la destrucción total del bien sino también el deterioro o menoscabo del mismo. (Vid., por ejemplo, la STS de 22 de diciembre de 1959 —Ar. 4799—). Además, debe entenderse cometido el delito tanto si se destruyen físicamente los soportes en que se encuentran los datos, programas o documentos, como si los mismos se manipulan o borran a través del propio sistema informático (actuación conocida como «*hacking maligno*», es decir, la entrada en sistemas informáticos ajenos para destruir o alterar los programas, archivos o datos, o para imposibilitar su funcionamiento). En efecto, pese a los reparos formulados por un sector doctrinal (Andrés Domínguez), nada impide, partiendo de la lectura del artículo 264.2, que la conducta pueda recaer únicamente sobre los elementos lógicos (*software*), sin que se vea afectado el soporte físico (*hardware*), esto es, sin que la destrucción o alteración de aquellos derive de un quebranto material. Exigir esa conexión supondría dejar de proteger los elementos lógicos frente a los ataques, nada despreciables, que se producen a través del propio sistema informático, o lo que es lo mismo, vincular la salvaguarda del objeto protegido a los medios utilizados para causar el detrimento, lo que no parece casar con una figura general y residual como es el delito de daños. A mayor abundamiento, señala Romeo Casabona (1991) que la materialidad de la cosa tiene sentido en los delitos de apoderamiento, puesto que requieren la aprehensión física de la misma, pero no en el de daños, que se diferencia de los llamados delitos de enriquecimiento, precisamente, porque en él no hay incorporación o traslación de la cosa del sujeto pasivo al sujeto activo, siendo lo decisivo que el bien sea susceptible de destrucción, deterioro o inutilización. A lo cual cabe añadir que esta solución (la admisión de los daños producidos exclusivamente a los elementos lógicos) es la mantenida en otros ordenamientos del Derecho comparado (el alemán, entre otros). La aplicación de esta infracción, tradicionalmente reservada a cosas corpóreas, para la tutela de otros bienes de carácter inmaterial no es sino la consecuencia de la propia evolución social, y de la aparición de determinados valores inmateriales, susceptibles de destrucción o inutilización, a los que se atribuye igual o mayor valor que a los bienes tangibles. Precisamente, esta especificidad del objeto de tutela ha llevado al legislador a regular los llamados «daños informáticos» en un apartado separado de la tradicional figura de daños.

Si lo destruido no son las unidades lógicas, es decir, el *software* o los ficheros de datos, sino únicamente los elementos físicos que componen el equipo informático (*hardware)*, deberá aplicarse el tipo básico del artículo 263. Y, cuando lo dañado sean tanto los elementos lógicos como el soporte físico, se apreciará un único delito, debiéndose resolver el conflicto entre el delito genérico (artículos 263 y 264.1) y el de daños informáticos (artículo 264.2) en virtud del principio de especialidad, aplicando el segundo precepto. No obstante, dado que el daño a los elementos lógicos va acompañado del menoscabo en el soporte físico, deberá valorarse el quebranto total a la hora de calificar la infracción como delito o falta, así como a efectos de la responsabilidad civil.

Ahora bien, resulta cuestionable que en esta modalidad de daños se precise la causación de un detrimento superior a 50.000 ptas., como se requiere en el tipo básico. A favor de su exigencia jugaría, tal vez, el argumento de que los daños informáticos son una especie de los daños genéricos, en los que la cuantía actúa como frontera entre el delito y la falta. Además, se podría apuntar que el artículo 267, en el que se regulan los daños imprudentes, fija también una cuantía mínima para considerarlos delito (10 millones), y esta norma se halla ubicada a continuación tanto del tipo genérico de daños dolosos, como de los referidos a elementos informáticos, lo que puede llevar a pensar que en los daños dolosos la cuantía es siempre requisito ineludible para que exista delito. (En otro caso, se podría decir, los daños informáticos se habrían regulado de modo autónomo y separado de aquellos en los que la gravedad del detrimento sí juega un papel decisivo en orden a calificar la infracción de delito o falta). Sin embargo, mantener dicho presupuesto en los daños informáticos puede resultar contraproducente, no sólo por las dificultades que entraña la cuantificación económica de su objeto (datos, programas, y documentos electrónicos), sino, sobretodo, porque la finalidad perseguida con la tipificación de estas conductas parece ir más allá de la tutela de los propios datos (que, muchas veces, tienen un valor ínfimo), tratando de evitar el grave quebranto que su destrucción o alteración puede ocasionar. De ahí que parezca plausible tener en cuenta, para calificar la acción como delito, la utilidad de esos datos, y el reflejo de ese menoscabo en la actividad de su titular, además del valor en sí de los propios datos. Interpretación, por otra parte, que resulta adecuada al tenor del artículo 264, cuyo párrafo 2º (daños informáticos) no menciona el requisito relativo a la cuantía del detrimento causado, como sí lo hace el artículo 263, dedicado a los daños genéricos (a favor de una valoración funcional se manifiestan Fernández Palma y Morales García).

No obstante, esta exégesis no deja de plantear inconvenientes, tanto desde la perspectiva de la seguridad jurídica, como de la oportuna separación entre el daño civil y la ofensa penal. Pues, ciertamente, resultará difícil salvar algunas réplicas respecto a la existencia de cierto solapamiento entre los ilícitos civil y penal, desde el momento en que para valorar el daño no se toman en consideración únicamente los datos, documentos o programas lesionados sino, también, su utilidad o función dentro de un determinado sistema, o en relación con una concreta actividad; en definitiva, los perjuicios de toda índole que su alteración pueda reportar. Mas, parecen insalvables las críticas, en uno u otro sentido, dada la singular naturaleza de los elementos que a través de este delito se ha querido proteger.

En lo que atañe a los mecanismos de «sabotaje informático», conocidos genéricamente como «virus» (entendido este término en sentido amplio, como programa que provoca efectos indeseables en un sistema informático) cabe citar, entre otros, la «bomba de tiempo» (*time bomb*), el «virus puro», el «caballo de Troya», los programas «troyanos», y la intervención en los programas de teleproceso. La «bomba de tiempo» es un programa o rutina que provoca, en una determinada fecha, la destrucción o modificación de la información contenida en un sistema informático. (Este fue el caso del virus conocido como «viernes 13», o del denominado «virus del moroso», que produce la destrucción del programa si el adquirente no lo paga en la fecha pactada —mientras que si se satisface puntualmente un técnico de la empresa vendedora se ocupa de desconectar el virus en una revisión rutinaria—, siempre que la destrucción del programa lleve asociada la destrucción o inutilización de datos de su usuario). La «bomba lógica», es un programa que se activa sin que lo sepa la víctima en el momento en que ésta realiza alguna acción, como enviar un *e-mail*, ejecutar un determinado programa o pulsar una combinación de teclas, (técnica que ha sido utilizada en ocasiones por los empleados de los departamentos de informática de las empresas para producir la destrucción de la información contenida en la red en caso de ser despedidos —«virus del empleado»—; para lo cual se suelen utilizar programas que comprueban la presencia del nombre del autor en el fichero de nóminas de la empresa). El «virus puro» se copia a sí mismo en soportes diferentes al que se encontraba originalmente (ya sea el sector de arranque de los disquetes, la tabla de partición, el sector de arranque del disco duro, o los ficheros ejecutables), sustituyendo para ello el código de arranque original del disco por una versión propia del virus. El «caballo de Troya» se oculta en un programa legítimo, produciendo efectos perniciosos al ejecutarlo, aunque sin extenderse a otros archivos o soportes. A través de los programas «troyanos» se insertan en un programa una rutina o un conjunto de instrucciones no autorizadas, para que dicho programa actúe de forma diferente a como estaba previsto, o para formatear el disco duro, modificar un fichero, etc. Y, la intervención en los sistemas de teleproceso es una modalidad que actúa a través de las líneas de telecomunicación, posibilitando la introducción de programas de destrucción a distancia, (vid., Corcoy Bidasolo; Hilgendorf; y Taddei Elmi, entre otros). En muchos casos estos virus son difíciles de detectar, pues se suelen *encriptar* al infectar cada fichero, ocultando el rastro que facilitaría su búsqueda. No obstante, los virus *encriptados* poseen una rutina de *desencriptación* que hace posible su detección a los antivirus. Esta búsqueda suele resultar supérflua, en cambio, cuando el virus, además de *encriptarse,* cambia la rutina empleada cada vez que infectan un fichero (es lo que se conoce como *polimorfismo*).

Por el contrario, no dan lugar a la aplicación de esta figura aquellos virus que no destruyen, alteran o inutilizan los datos, programas o documentos electrónicos a que se refiere el tipo, causando al usuario tan sólo la incomodidad de no poder utilizar momentáneamente el equipo, o alguno de los servicios que ofrece la red, como es el caso del «mail bomber», que bloquea la dirección del correo electrónico de su usuario, mediante el envío masivo de información; las «bombas ansi», que manipulan el funcionamiento del teclado, asignando a las teclas funciones diferentes a las habituales, cuando la alteración se produzca durante un corto espacio de tiempo; y los «ataques DOS» (de denegación de servicio), que obligan a desactivar un servicio de la red saturándolo de información y dejándolo bloqueado (v gr., en fechas recientes, diversos *hackers*, actuando desde China, inutilizaron durante unas horas la *web* de la Casa Blanca, así como otras 650 *webs* del gobierno, empresas, universidades e instituciones públicas norteamericanas, incluida la CIA, en respuesta a la muerte de un piloto chino por un avión del Pentágono; a lo que desde Estados Unidos se contestó, por parte de los *hackers*, con una operación similar efectuada sobre cientos de portales de Pekín, incluyendo instituciones científicas, militares y del gobierno (noticia publicada en el diario El Mundo de 5 de mayo de 2001).

d) Aspecto subjetivo

Esta figura requiere la concurrencia de dolo, castigándose la comisión imprudente tan sólo cuando la negligencia es grave y los daños causados superan los diez millones de pesetas, en cuyo caso será necesaria, para su persecución, la previa denuncia de la persona agraviada o de su representante legal, o, si el ofendido fuese menor de edad, incapaz, o una persona desvalida, del Ministerio Fiscal. Asimismo, el perdón de la persona agraviada o de su representante legal extinguirá la pena o la acción penal (artículo 267). No obstante, esta disposición parece pensada para los daños materiales, mientras respecto a los que recaen sobre elementos informáticos debe tenerse en cuenta lo apuntado en relación con la cuantía del detrimento, que en modo alguno supone una solución sino, tan solo, el planteamiento de un problema.

La delimitación de este elemento subjetivo suscita algunas dudas en aquellas modalidades delictivas (*virus puro*, etc.), en las que el autor desconoce los efectos concretos de su conducta (introducido un virus en la red, el actor ignora qué ordenadores y ficheros van a ser infectados). Aunque, tampoco en este supuesto hay inconveniente para afirmar la existencia de dolo, cuanto menos eventual, ya que al introducir la rutina destructiva el sujeto acepta las consecuencias negativas que puedan derivar de su acción.

Por lo demás, en este delito no reside un elemento subjetivo del injusto y pese a que de alguna resolución parezca deducirse lo contrario, puede considerarse, en general, que la jurisprudencia concuerda con esta opinión, de modo que cuando alude al *animus damnandi* o *nocendi* lo hace para subrayar la ausencia de ánimo de lucro. (Como ejemplo, en la STS de 29 de enero de 1983 —Ar. 74— se precisa «dolo específico o finalísticamente dirigido a producir un menoscabo en el patrimonio ajeno, o, lo que es lo mismo, la existencia del *"animus damandi"*»; en igual dirección, la STS de 7 de noviembre de 1986 —Ar. 6813—).

e) Especiales formas de aparición del delito

De las acciones descritas en este precepto se infiere que estamos ante un delito de resultado en el que es posible la comisión en grado de tentativa, forma imperfecta de ejecución que concurrirá, por ejemplo, si, una vez introducido el virus, éste resulta inefectivo por tener instalado un anti-virus adecuado el ordenador destinatario.

En materia de concursos, el artículo 278.3 prevé expresamente una regla concursal (concurso real) entre el apoderamiento de soportes informáticos que contengan secretos de empresa y el delito de daños, en su caso.

f) Penalidad

El artículo 264 apartado 2°, en relación con el apartado primero, sanciona las conductas descritas con las penas de prisión de uno a tres años y multa de doce a veinticuatro meses. Si bien debe notarse que cuando los daños se cometan mediante incendio, provocando explosiones o utilizando cualquier otro medio de similar potencia destructiva, o poniendo en peligro la vida o la integridad de las personas, las penas anteriores serán de tres a cinco años y multa de doce a veinticuatro meses (artículo 266), disposición que en los daños informáticos tendrá una escasa aplicación práctica.

4. DELITOS RELATIVOS A LA PROPIEDAD INTE-LECTUAL

4.1. Tipo básico

Artículo 270: *«Será castigado con la pena de prisión de seis meses a dos años o de multa de seis a veinticuatro meses quien, con ánimo de lucro y en perjuicio de tercero, reproduzca, plagie, distribuya o comunique públicamente, en todo o en parte, una obra literaria, artística o científica, o su transformación, interpretación o ejecución artística fijada en cualquier tipo de soporte o comunicada por cualquier medio, sin la autorización de los titulares de los correspondientes derechos de propiedad intelectual o de sus cesionarios.*

La misma pena se impondrá a quien intencionalmente importe, exporte o almacene ejemplares de dichas obras o producciones o ejecuciones sin la referida autorización.

Será castigada también con la misma pena la fabricación, puesta en circulación y tenencia de cualquier medio específicamente destinado a facilitar la supresión no autorizada o la neutralización de cualquier dispositivo técnico que se haya utilizado para proteger programas de ordenador».

En este artículo se contiene la regulación básica de los delitos contra la propiedad intelectual; en él se definen las conductas prohibidas y los objetos sobre los que éstas pueden recaer. En el artículo 271 tan solo se prevén algunas modalidades agravadas; y en el artículo 272 se hace una remisión a la Ley de Propiedad Intelectual (LPInt.), con algunas precisiones, en materia de responsabilidad civil. No obstante, como veremos a continuación, la tutela penal se ciñe tan solo a algunos de los comportamientos lesivos de la propiedad intelectual, concretamente a los que afectan a su vertiente patrimonial; las ofensas de índole moral se valorarán de acuerdo con las previsiones contenidas en la LPInt. y en las demás normas civiles.

A) *Modalidad genérica*

a) Bien jurídico protegido

En el artículo 2 del RDL 1/1996, de 12 de abril, por el que se aprueba la Ley de Propiedad Intelectual, se define este concepto en términos genéricos, comprendiendo en él derechos económicos y personales: «la propiedad intelectual está integrada por los derechos de carácter personal y patrimonial, que atribuyen al autor la plena disposición y el derecho exclusivo a la explotación de la obra, sin más limitaciones que las establecidas en la Ley». Por el contrario, en el artículo 270 se requiere para la existencia de delito que el sujeto activo realice el hecho punible con ánimo de lucro, para obtener un beneficio económico, y en perjuicio de tercero, y no se alude siquiera a la dimensión moral de la propiedad intelectual. Por lo tanto, para que venga en aplicación el mencionado artículo 270 basta la existencia de alguna de las conductas previstas en el precepto transcrito, acompañadas de los dos elementos subjetivos apuntados, con independencia de que la vertiente moral se vea o no afectada. Con frecuencia este aspecto moral (cuyo contenido define el artículo 14 de la LPInt.) será menoscabado por la ejecución de alguna de las acciones punibles, pero, dicha lesión no es necesaria para que concurra el tipo penal y, por ello, no puede estimarse objeto de la tutela punitiva.

De ahí que hayamos de concluir que el bien jurídico protegido en este delito lo constituye tan solo el contenido patrimonial de la propiedad intelectual (Boix Reig/Jareño Leal; González Rus; Muñoz Conde; y Orts Berenguer, entre otros); exégesis que corrobora el epígrafe que encabeza esta infracción, en el que se alude expresamente a la propiedad intelectual, sustituyendo, así, a la denominación genérica «derechos de autor» utilizada en el Código anterior.

b) Sujetos

Sujeto activo es cualquier persona, ya que el tipo no requiere ninguna cualificación específica en aquel que realiza las conductas punibles. Por lo demás, como ya apuntamos, el castigo a título de autor de quien ha atentado contra la propiedad intelectual a través de una red de comunicaciones, no presenta particulares dificultades, cuando ha introducido o distribuido en nuestro país el material plagiado, y puede ser identificado, siéndole aplicables, sin mayores inconvenientes, las reglas genéricas de la autoría. Los problemas surgen cuando esa identificación no es posible, suscitándose el interrogante de si cabe aplicar el artículo 30 del Código penal a quienes prestan los servicios necesarios para posibilitar la difusión de esos contenidos delictivos. La respuesta será afirmativa cuando se trate de información propia o seleccionada por quien ofrece el servicio (esto ocurre con los contenidos de los diarios, revistas, etc.), en cuyo supuesto responderá el director de la publicación, de acuerdo con lo dispuesto en el apartado segundo del precepto citado. En otro caso, es decir, si el proveedor únicamente proporciona al usuario un servicio de acceso, transmisión, o almacenamiento de los datos, no podrá imputársele responsabilidad alguna por la información introducida en su servicio, en la medida en que nuestro ordenamiento no prevé para esos sujetos la obligación de controlar tales contenidos. E, incluso, con arreglo a la legislación penal y procesal vigente, existen notables dificultades, como veremos, para castigar al proveedor cuando conoce el carácter delictivo de la información o aun cuando colabora de algún modo en la comisión del delito, si el autor actúa desde un país extranjero.

En cuanto al sujeto pasivo se precisan, también, algunas matizaciones, puesto que la LPInt. prevé reglas especiales al respecto, que no son plenamente asumibles en el ámbito punitivo. De acuerdo con esa norma, la propiedad intelectual de una obra literaria, artística o científica corresponde al autor por el solo hecho de su creación (artículo 1.1), considerándose autor la persona natural que la crea (artículo 5.1); condición que, salvo prueba en contrario, se presumirá en quien aparezca como tal en la obra, mediante su nombre, firma, o signo que lo identifique (artículo 6). Ahora bien, respecto a los programas de ordenador será considerado autor la persona o grupo de personas naturales que lo hayan creado, o la persona jurídica que sea contemplada como titular de los derechos de autor en los casos expresamente previstos en dicha ley (artículo 97.1); en concreto, el editor o quien lo divulgue bajo su nombre, cuando dicho programa merezca la calificación de obra colectiva. En estos casos, la ley atribuye la condición de autor directamente al creador de la obra, y al editor y a quien divulga un programa de ordenador, respectivamente. Pero, junto a esos supuestos de adquisición originaria, existen en dicha norma otros de adquisición derivativa de los derechos de autor, tal es el caso de los negocios de cesión otorgados por el autor o titular originario, y los contemplados en los artículos 51 y 88, que establecen una presunción *iuris tantum* de cesión de derechos al empresario, y al productor de la obra, respectivamente (vid., al respecto, Bondía Román).

En la esfera penal, en cambio, el sujeto pasivo del delito es, en todo caso, de acuerdo con el bien jurídico protegido en el artículo 270, el creador de la obra (cabría añadir el editor y quien divulga bajo su nombre un programa de ordenador, en los términos expuestos), en cuanto titular de los derechos económicos sobre la misma, bien entendido que esa condición le faculta para estipular contratos de explotación con otras personas, las cuales no se convierten por ello en sujeto pasivo de esta infracción por cuanto que la decisión acerca de la comercialización o no de la obra, condiciones, etc. pertenece a su creador.

Por lo demás, la inscripción de la obra en el Registro de la Propiedad Intelectual se considera meramente facultativa (artículo 101 LPInt.). Como hemos dicho, la propiedad intelectual de la misma corresponde al autor por el solo hecho de su creación, lo que determina que tal inscripción no sea requisito necesario para la obtención de la protección civil, ni tampoco para la penal, dado que en este artículo no se requiere. Como ejemplo, la Audiencia Provincial de Orense condenó al acusado por distribuir copias pirata de programas de ordenador sin la autorización de las entidades titulares —compañías extranjeras con sucursales en España conforme a la legislación española—, aun cuando aquéllas no habían sido inscritas en el registro (S. de 16 de febrero de 1998 —Ar. 523—).

c) Objeto material

El objeto material lo constituye cualquier *obra literaria, artística o científica, o su transformación, interpretación o ejecución artística fijada en cualquier tipo de soporte o comunicada a través de cualquier medio*. Las formas de expresión de la obra se prevén, pues, mediante una cláusula abierta, semejante a la contenida en la LPInt., en la que se alude a «cualquier medio o soporte, tangible o intangible, actualmente conocido o que se conozca en el futuro» (artículo 10). De esta suerte, se da cobertura a las creaciones plasmadas en cualquier medio o soporte actualmente existente, incluidos, desde luego, los soportes informáticos, y en cualesquiera otros que la tecnología pueda idear. El legislador trata de asegurar, así, la vigencia de las disposiciones que regulan esta materia, teniendo en cuenta la incesante evolución de la tecnología.

Al respecto, la LPInt. incluye en la propiedad intelectual las obras literarias, artísticas o científicas «originales» (incluido el título de la obra). Y, a continuación, hace una enumeración de carácter ejemplificativo de las creaciones que revisten dicho carácter (libros, composiciones musicales, obras dramáticas y cinematográficas, proyectos arquitectónicos y de ingeniería, mapas topográficos, fotografías, programas de ordenador, etc.). Así pues, aun cuando la falta de un catálogo taxativo de las creaciones protegidas dificulta la labor del Juez penal, éste deberá tener en cuenta la exigencia de originalidad, y el sentido que se infiere de la relación anterior, a la hora de catalogar una obra en aquellas categorías.

En este orden de cosas, la obra literaria ha de ser escrita, si bien no es necesario que posea «belleza artística» (un ensayo jurídico, por ejemplo, puede ser obra literaria). La obra artística lo es, en cambio, por versar sobre una actividad destinada a producir belleza o emoción estética a través de determinados medios, que pueden ser objetivables, aunque nunca faltará un componente de subjetividad en quien o en quienes lo juzgan. Por último, y de acuerdo con el Convenio de Berna (artículo 2) y la Convención Universal sobre derechos de autor (artículo 1), es obra científica aquella que trata los problemas de una manera adaptada a los requisitos del método científico (Gómez-Benítez/Quintero Olivares).

En concreto, la LPInt. define como programa de ordenador «toda secuencia de instrucciones o indicaciones destinadas a ser utilizadas, directa o indirectamente, en un sistema informático para realizar una función o una tarea o para obtener un resultado determinado, cualquiera que fuere su forma de expresión y fijación» (artículo 96.1). Pero, dicha Ley incluye en este concepto la documentación preparatoria del programa, es decir, los documentos técnicos y los manuales de uso (documentación que forma parte del *software* —soporte lógico—), lo que genera dudas en cuanto a si basta o no que la acción recaiga sobre estos últimos elementos para considerar realizado el delito. A lo que, en principio, hay que dar una respuesta negativa en la medida en que, materialmente, esas instrucciones no pueden considerarse obras literarias, artísticas o científicas, salvo que se mantenga una interpretación extraordinariamente extensiva, desaconsejable en Derecho penal. En este sentido, la propia LPInt. determina que esos documentos «gozarán de la misma protección que este Título —Tít. VII— dispensa a los programas de ordenador» (artículo 96.1), reconociendo con ello que no forman parte del mismo, sino que se equiparan a él, exclusivamente, a efectos de dicha ley. Por otra parte, se ha de tener presente que las ideas y principios en los que se basan los elementos del programa no están protegidos mediante los derechos de autor (artículo 96.4), lo que determina que la exigencia de originalidad del programa (artículo 96.2) deba interpretarse como un requisito referido a su plasmación concreta, que únicamente merecerá la protección penal cuando sea una creación intelectual de su autor (vid, al respecto, Cercos Pérez).

Además, la LPInt. declara que la propiedad intelectual abarca también las colecciones de obras ajenas, como las antologías, y las de otros elementos o datos que, por la selección o disposición de las materias constituyan creaciones intelectuales, sin perjuicio, en su caso, de los derechos de los autores de las obras originales (artículo 12). En el terreno que nos ocupa este tipo de recopilaciones se articula a través de bases de datos (las más conocidas en el mundo del Derecho quizá sean las colecciones jurisprudenciales y las legislativas) que, de acuerdo con esa definición quedan comprendidas en el objeto de tutela. Esta exégesis está en consonancia con lo dispuesto en la Directiva 96/9/CE del Parlamento Europeo y del Consejo, de 11 de marzo de 1996, sobre la protección jurídica de las bases de datos (definidas como «las recopilaciones de obras, de datos o de otros elementos independientes dispuestos de manera sistemática o metódica y accesibles individualmente por medios electrónicos o de otra forma» —artículo 1.2—), en la cual se dispone que dichas bases deberán ser protegidas mediante la figura jurídica de los derechos autor. Ahora bien, en el ámbito punitivo se ha de tener presente que, como ha declarado el Tribunal Supremo «el término "obra" no puede entenderse, dada la naturaleza de intervención mínima del derecho penal, como simple acopio de materiales "a partir" para realizarla. De igual manera que si se derriba una pared se cometería un delito de daños —dice el Alto Tribunal—, si se produce el apoderamiento de los materiales "apilados" para construirla, la infracción es constitutiva de hurto» (sic) (STS de 19 de julio de 1993 —Ar. 6308—). Por consiguiente, sólo gozarán de la tutela penal aquellas bases de datos que por el trabajo y la inversión que comportan puedan considerarse una creación intelectual, siempre, claro está, que merezcan la consideración de obra literaria, artística o científica. Mas, concurriendo estos requisitos, se entenderá cometido el delito tanto si se reproduce, plagia, etc., íntegramente una obra, como si la conducta afecta únicamente a una parte sustancial de la misma.

Especial mención merecen, en este punto, las vulneraciones producidas a través de redes de comunicación. En efecto, en los últimos años el uso de *Internet* ha abierto la vía a nuevas formas de expresión que de reunir los presupuestos típicos darán lugar, también, a la aplicación de este artículo; de manera que, en el sector de la informática, la tutela penal no se limita hoy a las obras escritas guardadas en soportes informáticos, y a los programas de ordenador, sino que se extiende, además, a los archivos con imágenes, gráficos, sonido, texto, etc., que merezcan la calificación de obra literaria, artística o científica (Ribas Alejandro).

d) Conducta típica

La acción típica puede consistir en *reproducir, plagiar, distribuir* o *comunicar públicamente* una obra, sin la autorización de los titulares de los correspondientes derechos o de sus cesionarios (párr. 1).

Si atendemos a las definiciones dadas por la LPInt., entenderemos por «reproducción» la fijación de la obra en un medio que permita su comunicación y la obtención de copias de toda o parte de ella (artículo 18 LPInt.); y por «distribución», la puesta a disposición del público del original o copias de la obra mediante su venta, alquiler, préstamo o de cualquier otra forma (artículo 19). En la práctica forense se han utilizado estas descripciones en la aplicación del artículo 270, v.gr., en los casos de venta de ordenadores en los que se instalan copias de programas informáticos sin autorización del titular del derecho de propiedad intelectual, sin facilitar a los compradores de los equipos informáticos, ni la licencia de uso del sistema operativo, ni los disquetes originales, ni los manuales de instrucciones —lógicamente, con conocimiento del significado de su conducta y con ánimo de lucro— (vid., por ejemplo, la SAP de Madrid, de 10 de junio de 1999 —Ar. 3354—).

No obstante, nuestros Tribunales han perfilado esos conceptos. Y así, en lo que atañe a la distribución la Audiencia Provincial de Barcelona ha considerado delictiva, no sólo la realizada sin autorización del titular del derecho a la explotación de la obra, sino también la que contravenga las condiciones pactadas de distribución, lesionando o poniendo en peligro los derechos económicos de aquél. (En esta ocasión, los condenados habían vendido un programa directamente a particulares que lo pretendían instalar en su aparato, cuando la autorización concedida para la distribución de los ejemplares del citado programa se limitaba a su ofrecimiento al público, una vez ensamblados e instalados en los ordenadores que pudieran montarse en la tienda de los acusados SAP de Barcelona, de 26 de octubre de 1999 —Ar. 3362—).

Contrariamente, la ley no define lo que deba entenderse por plagio. En general, plagiar significa copiar o apropiarse en lo sustancial de obras ajenas. «Por plagio hay que entender —dice el Tribunal Supremo— todo aquello que supone copiar obras ajenas en lo sustancial... Las situaciones que representan plagio hay que entenderlas como las de identidad, así como las encubiertas, pero que descubren, al despojarlas de los ardides y ropajes que las disfrazan, su total similitud con la obra original, produciendo un estado de apropiación y aprovechamiento de la obra creativa y esfuerzo ideario o intelectivo ajeno... el concepto de plagio ha de referirse —pues— a las coincidencias estructurales básicas y fundamentales y no a las accesorias, superpuestas o modificaciones no trascendentales» (STS de 28 de enero de 1995 —Ar. 387—). Y en el ámbito punitivo se ha apostillado que esa modalidad delictiva consiste en copiar una obra ajena, o una parte sustancial de ella, con suplantación o usurpación de la autoría de la obra, pero no necesariamente de la personalidad del auténtico creador (SAP de Baleares de 31 de marzo de 1998 —Ar. 2054—); considerándose plagio, como ejemplo, la coincidencia entre los temas, composición, coloración, y ambientación de dos obras artísticas; y la copia de un libro publicado con anterioridad en los extremos esenciales (STS de 28 de mayo de 1992 —Ar. 4394—, y de 26 de septiembre de 1992 —Ar. 7356—, respectivamente). En cambio, se ha negado su existencia en el hecho de falsificarse la firma de otra persona, atribuyéndose de esta manera, la autoría de una obra ajena (en este caso, dice la AP de Burgos, en S. de 15 de julio de 1997 —Ar. 1098—, «es evidente que hay una falsedad, pero no se copia una obra artística de otra persona»).

Más concretamente, en el ámbito que nos ocupa se ha estimado plagio la copia de un programa informático —y su comercialización—, sin la necesaria autorización de su titular. (Como ejemplo, la AP de Barcelona, en S. de 3 de junio de 1998 —Ar. 3586—, se pronunció en este sentido atendiendo a las coincidencias existentes entre dos programas respecto al lenguaje de programación, el entorno de explotación, objetivos, menús, formato de las pantallas, base de datos, etc.) (las conductas de vulneración del *software* comercial, que dan lugar a actos de piratería informática, entre ellas, las relativas a copias ilícitas de programas de ordenador, se conocen como *cracking* —Morón Lerma, 1999—; y más genéricamente se habla de *superzapping* para referirse al uso no autorizado de programas, para copiarlos, modificarlos, usarlos, destruirlos, introducir datos, o impedir la utilización de la información contenida en ellos —Taddei Elmi—).

También deben considerarse típicas, la *importación* y *exportación* de los ejemplares de las obras; acciones que pueden realizarse de ordenador a ordenador a través de un *módem*, rebasando de esta forma las fronteras nacionales (Romeo Casabona, 1993), así como el *almacenamiento* de los mismos (párr. 2), término que debe interpretarse de acuerdo con su acepción común.

Lógicamente, todas las conductas anteriores han de ejecutarse *sin la autorización de los titulares de los correspondientes derechos de propiedad intelectual o de sus cesionarios*, dando lugar su concurrencia a la atipicidad de la conducta, como se ocupa de precisar el legislador al aludir a este elemento.

e) Aspecto subjetivo

El tipo requiere que la acción se realice *con ánimo de lucro y en perjuicio de tercero* (el término «intencionalmente», empleado en el segundo párrafo, ha sido interpretado por la doctrina en este mismo sentido). El primer elemento comporta la intención de obtener un beneficio patrimonial; se trata, por tanto, de un elemento subjetivo del injusto que implica la necesaria concurrencia de dolo directo. Mayores problemas interpretativos plantea el segundo presupuesto, debatiéndose generalmente la doctrina entre calificarlo como elemento subjetivo del injusto, es decir, como exigencia de una intencionalidad específica en el comportamiento del sujeto activo (Orts Berenguer), o como requisito objetivo de la conducta, de modo que ésta resulte objetivamente idónea para producir un perjuicio en el patrimonio ajeno (González Rus). En cambio, se suele negar que ese elemento conlleve la exigencia de un perjuicio efectivo como consecuencia de la conducta. Y así, tradicionalmente la jurisprudencia ha incluido este delito entre los de mera actividad, sin requerir para su consumación la existencia de daño real, (vid., por ejemplo, la STS de 13 de octubre de 1988 —Ar. 7912—; y la SAP de Barcelona de 3 de junio de 1998 —Ar.

3586—, si bien haciendo alusión al derogado artículo 534 bis b), en el que se requería que la acción se realizara «intencionalmente» y «con ánimo de lucro»).

Mas, la exigencia de que el sujeto activo realice la acción con ánimo de lucro determina que no sean punibles ciertas conductas que ocasionan graves perjuicios económicos, tanto a los autores de las obras como a las compañías encargadas de su comercialización; en concreto, la distribución gratuita de obras a través de *Internet*. Este ha sido el caso del servidor musical *Napster*, que funcionaba como un punto de encuentro para que los aficionados intercambiasen gratuitamente su música (dando lugar a la tecnología P2P, *peer to peer*, o «de amigo a amigo»; que después han adoptado otros servicios —www.*napigator*.com; www.*teknap*.com; www.*scour*.com; *www.gnutelliums*.com; www.aimster.com; www.*toadnode*.com; www.*gnutellanews*.com, etc.—). Para ello el cedente transforma las canciones en ficheros MP3, transfiriéndolos al servidor del programa, permitiendo de esta forma a los interesados grabar en su PC (*bajarse*) las canciones que deseen en formato MP3. Y aun cuando el cedente podía beneficiarse del programa accediendo a las obras de otras personas, esta ventaja era independiente de su cesión, por la que no solicitaba contraprestación alguna, de modo que la falta del elemento subjetivo apuntado impedía aplicarle este delito. Por su parte, el proveedor se limitaba a facilitar la transmisión de la información entre los usuarios, quedando, en principio, excluida su responsabilidad penal. A partir de las querellas formuladas contra *Napster* por diversas compañías discográficas —Sony, Warner, y EMI, entre otras—, movidas por las pérdidas millonarias ocasionadas por el descenso en las ventas de discos, dicho servicio fue clausurado. Desde entonces se han sucedido los acuerdos entre las grandes discográficas para crear una plataforma musical en *Internet*, que funcione como un servicio de suscripción en el que los usuarios deberán abonar una cuota para poder grabar las canciones.

B) *La tenencia, fabricación y distribución de medios idóneos para neutralizar los sistemas de protección de programas de ordenador*

Cabe hacer ahora una mención especial al último párrafo del artículo que examinamos, por lo que tiene de novedoso, así como por su especificidad en relación con las nuevas tecnologías, ya que en él se incrimina la *fabricación, puesta en circulación y tenencia de cualquier medio específicamente destinado a facilitar la supresión no autorizada o la neutralización de cualquier dispositivo técnico que se haya utilizado para proteger programas de ordenador.*

Dicha disposición fue incorporada al Código penal por el legislador de 1995, siguiendo el mandato contenido en la Directiva 91/250/CEE, de 14 de mayo de 1991, que ordenaba a los estados miembros proteger los programas de ordenador mediante la generación de derechos de autor como obras literarias. De esta forma, se intenta hacer frente al extendido fenómeno de los «piratas informáticos» (*hackers*), que vienen causando pérdidas económicas incalculables a las compañías encargadas de la explotación de los programas, adelantando la línea de defensa a conductas preparatorias de la vulneración de la propiedad intelectual, como veremos a continuación.

a) Bien jurídico protegido

Al igual que en los anteriores, el bien jurídico protegido en este párrafo es la propiedad intelectual, en su aspecto patrimonial. Como hemos visto, en las conductas examinadas en el apartado anterior, esta interpretación se deduce de la exigencia típica de que el sujeto activo ejecute la acción con ánimo de lucro y en perjuicio de tercero. Pues bien, tales presupuestos, que únicamente se mencionan de modo explícito en los párrafos precedentes, deben requerirse también respecto a las conductas delictivas contenidas en la norma que nos ocupa, si se quieren evitar consecuencias poco coherentes con el principio de intervención mínima, como la punición de la mera tenencia para usos privados de los mecanismos que se especifican en esta disposición (de la misma opinión, González Rus). Como señala el Tribunal Supremo, «la genérica e imprecisa remisión integradora a la normativa extrapenal en la materia, no puede sin más implicar la global e indiferenciadora criminalización de toda conducta antijurídica, sino que la atracción a la órbita penal, más allá de los remedios de la jurisdicción civil y la intervención de la Autoridad gubernativa, queda reservada para aquellos comportamientos más graves, por su entidad objetiva y subjetiva, en que tanto su tipicidad penal y no mera antijuridicidad civil, como la cierta culpabilidad del agente impongan la subsunción penal adecuada realizada ponderadamente por los Tribunales de este carácter» (sic) (STS de 4 de junio de 1992 —Ar. 5446—). En definitiva, pues, en esta esfera la criminalización sólo debe extenderse a las infracciones de mayor entidad para las que no basten los remedios civiles y las sanciones administrativas (STS de 23 de mayo de 1994 —Ar. 3946—).

b) Sujetos

En lo que concierne a los sujetos del delito son aplicables aquí las consideraciones que hemos realizado en el apartado anterior.

c) Conducta típica

La conducta típica puede consistir, tanto en la fabricación o puesta en circulación, como en la mera tenencia de cualquier medio específicamente destinado a neutralizar la protección de los programas de ordenador. A diferencia de lo que ocurre con las obras artísticas o científicas, y con las demás obras literarias, en las que se requiere que exista reproducción, plagio, etc., por lo que hace a los programas de ordenador basta, para realizar el tipo, con tener cualquier artilugio destinado a anular los sistemas de protección de los mismos, cláusula que por su generalidad podría considerarse contraria al principio de seguridad jurídica, si no fuera porque se exige que dichos medios estén «específicamente» destinados a inutilizar esos dispositivos, es decir, ha de tratarse de mecanismos directamente dirigidos a vulnerar esas barreras. Y, posiblemente, una descripción más minuciosa resultaría insuficiente dado el carácter extraordinariamente cambiante de estas técnicas.

Entre los programas empleados hoy para inutilizar los sistemas de protección (*cracks*), destacan los que permiten seguir usando el programa de demostración una vez superado el periodo de prueba establecido, y los que eliminan la llamada del programa a una clave electrónica, disco llave o número de serie (Ribas Alejandro). A tal fin, se suele utilizar un programa denominado *debbuger*, que permite la ejecución controlada de otros programas, mostrando simultáneamente el código que se está ejecutando, lo que posibilita el seguimiento particularizado de las instrucciones que el sistema informático está realizando, y la comprensión del procedimiento utilizado por el programador al incorporar la protección (actuación que se conoce como *tracear*).

d) Especiales formas de aparición del delito

Como hemos apuntado, en este apartado el legislador ha adelantado la barrera penal a momentos anteriores a la violación de la propiedad intelectual, sancionando la mera tenencia, fabricación o distribución de elementos específicamente dirigidos a ese fin. Por lo tanto, estamos ante un delito de mera actividad, para cuya consumación no se requiere de resultado alguno, debiéndose negar las formas imperfectas de comisión (Arroyo Zapatero/García Rivas; Gómez Benítez/Quintero Olivares, 1996, 1999).

En el terreno concursal conviene tener presente que el derecho de propiedad intelectual goza de autonomía propia, pudiendo concurrir su lesión con la de otros derechos penalmente protegidos, y dar lugar a un concurso de infracciones. Así, por ejemplo, el delito recogido en el artículo 271 puede ir acompañado de otro contra el patrimonio, si la reproducción, plagio, exportación, etc. va precedida de la sustracción ilegítima de la obra ajena; si después de copiarla ilegalmente, el sujeto vendiese como auténticas las copias plagiadas, dando lugar a un delito de estafa, debiendo resolverse entonces el concurso con arreglo a lo dispuesto en el artículo 77 del Código penal (Boix Reig), etc. Por lo tanto, cuando la acción delictiva, además de vulnerar la propiedad intelectual en su vertiente patrimonial, afecte a cualesquiera otros derechos protegidos penalmente, podrá apreciarse un concurso de delitos, sin que ello comporte una transgresión del principio constitucional *non bis in idem*, siempre que se trate de bienes jurídicos distintos.

4.2. Tipo cualificado

Artículo 271: *«Se impondrá la pena de prisión de un año a cuatro años, multa de ocho a veinticuatro meses, e inhabilitación especial para el ejercicio de la profesión relacionada con el delito cometido, por un período de dos a cinco años, cuando concurra alguna de las siguientes circunstancias:*

a) Que el beneficio obtenido posea especial trascendencia económica.

b) Que el daño causado revista especial gravedad.

En tales casos, el Juez o Tribunal podrá, asimismo, decretar el cierre temporal o definitivo de la industria o establecimiento del condenado. El cierre temporal no podrá exceder de cinco años».

El daño que determina la aplicación de esta agravante es, exclusivamente, el de carácter patrimonial; los perjuicios morales únicamente son objeto de responsabilidad civil. Y a este propósito, señala el artículo 125 de la Ley de Propiedad Intelectual que «en caso de daño moral procederá su indemnización, aun no probada la existencia de perjuicio económico».

En todo caso, la valoración de la trascendencia del beneficio y de la gravedad del daño que dan lugar a la aplicación de esta agravante se deja a la libre discrecionalidad del juzgador, técnica que no parece la más acorde con el principio de legalidad que preside la órbita penal (en igual dirección, Arroyo Zapatero/García Rivas), aun cuando debamos reconocer que en este caso resulta difícil una mayor precisión. (Nótese que los criterios que suelen acompañar en otros delitos a los dos apuntados —situación económica en que se deja a la víctima, etc.— resultan inapropiados en esta infracción, por cuanto el delito puede afectar a otras personas —editores, etc.—, además del autor).

4.3. *Responsabilidad civil*

Artículo 272: *1. «La extensión de la responsabilidad civil derivada de los delitos tipificados en los dos artículos anteriores se regirá por las disposiciones de la Ley de Propiedad Intelectual relativas al cese de la actividad ilícita y a la indemnización de daños y perjuicios.*

2. En el supuesto de sentencia condenatoria, el Juez o Tribunal podrá decretar la publicación de ésta, a costa del infractor, en un periódico oficial».

De acuerdo con esta norma, los detrimentos económicos sufridos por el perjudicado serán indemnizados de conformidad con lo dispuesto en el artículo 135 de la LPInt., que plantea a aquél la disyuntiva de optar, como indemnización, entre el beneficio que hubiere obtenido presumiblemente de no mediar la utilización ilícita, o la remuneración que hubiera recibido de haber autorizado la explotación. En ambas posibilidades, por tanto, y de acuerdo con la naturaleza de este delito, se reconoce el resarcimiento, no del daño efectivo, sino del lucro cesante, esto es, de las ganancias dejadas de percibir como consecuencia del delito (Carmona Salgado). Se debe notar, no obstante, que tan sólo podrá adoptarse la primera opción cuando los supuestos beneficios sean cuantificables, es decir, cuando existan suficientes elementos para valorar, siquiera sea aproximadamente, los ingresos económicos que habría obtenido el perjudicado si hubiera explotado personalmente la obra, o, como dice esta norma, si no hubiera mediado utilización ilícita. En este sentido, señala el Tribunal Supremo, «ha de rechazarse desde el plano estrictamente jurídico todo aquello que represente consecuencias dudosas, meros cálculos, hipótesis o suposiciones. En suma, beneficios, daños o perjuicios, desprovistos de certidumbre» (STS de 7 de febrero de 1997 —Ar. 661—; vid. en general, Roig Torres).

Como hemos dicho, los perjuicios de carácter moral no dan lugar a la aplicación del artículo 272, y se regulan de acuerdo con lo dispuesto en la LPInt., siendo objeto de responsabilidad civil, en los términos previstos en el artículo 135: procederá su indemnización, incluso no probada la existencia de perjuicio económico, debiéndose atender para su valoración a las circunstancias de la infracción, gravedad de la lesión y grado de difusión ilícita de la obra. Disposición que no es más que una concreción de la línea jurisprudencial consolidada en la que se reconoce el derecho al resarcimiento de todos los perjuicios morales, incluidos los denominados daños morales puros, es decir, aquellos que no tienen repercusión económica. (Esta doctrina se inició con la STS de 14 de noviembre de 1934 —JC, tomo 131, 1934, núm. 211, págs. 584 y ss—, y se ha mantenido, sin solución de continuidad, hasta nuestros días vid., por ejemplo, entre las más recientes, las SSTS de 14 de marzo de 1997 —Ar. 2326—, y 16 de mayo de 1998 —Ar. 4878—). Si además de estos daños, la infracción produce un quebranto patrimonial, deberá indemnizarse al perjudicado por ambos conceptos.

A estos efectos, debe advertirse que, en lo que se refiere a los daños económicos, la condición de perjudicado no corresponderá siempre al autor de la obra, toda vez que puede haber cedido los derechos de explotación a un tercero, en cuyo caso el cesionario podrá ser también perjudicado, y reclamar la indemnización procedente, si acredita que el delito le ha ocasionado pérdidas económicas. Incluso, puede ocurrir que el cesionario sea el único perjudicado si, por ejemplo, el autor le ha transferido el derecho a la comercialización de la obra, estipulando la participación en los beneficios percibidos únicamente en el caso de superar cierta cantidad de ventas.

Por el contrario, sólo el autor está legitimado para reclamar una indemnización por daños morales, en la medida en que el derecho moral sobre la obra tiene carácter inalienable (artículo 14 LPInt.).

En lo que atañe a los responsables civiles, esto es, a los obligados al pago de la indemnización, deberá tenerse en cuenta, además, lo dispuesto en los artículos 116 y siguientes del Código penal (que, en general, obligan a indemnizar a los responsables penales), y, en particular, el artículo 120.2, en el que se establece la responsabilidad subsidiaria de las personas naturales o jurídicas titulares de editoriales, periódicos, revistas, estaciones de radio o televisión o de cualquier otro medio de difusión escrita, hablada o visual, por los delitos o faltas cometidos utilizando los medios de los que sean titulares. Exceptuándose de esta disposición los delitos de calumnia e injuria, en cuyo caso la responsabilidad del propietario del medio informativo será solidaria y no subsidiaria.

Esto último tiene particular importancia cuando la información delictiva es difundida a través de *Internet*, pues en tal hipótesis será responsable civil, subsidiario o solidario, el titular de la publicación (diario, etc.) en la que aquella se inserte. Por el contrario, no suele resultar incardinable en esos preceptos la actuación de los proveedores de *Internet*, quienes únicamente responderán civilmente si incurren en responsabilidad penal, como autor o cómplice, y siempre que, por lo que hace a este último, el autor haya cometido el delito en nuestro país, o su conducta sea enjuiciable por los Tribunales españoles de acuerdo con el artículo 23 de la LOPJ, aplicándoseles entonces las reglas generales previstas en el artículo 116 del Código penal.

Junto a la indemnización, se prevé la posibilidad de decretar el cese de la actividad ilícita, institución que se incluye, criticablemente, en la responsabilidad civil, pese a que no tiene como fin reparar el daño causado sino evitar perjuicios futuros, lo que hace que en la LPInt. sea objeto de una regulación separada (artículo 134). De acuerdo con esta norma, el cese podrá comportar la suspensión de la explotación infractora, la prohibición de reanudarla, la retirada del comercio de los ejemplares ilícitos y su destrucción, y/o la inutilización o destrucción de los elementos utilizados.

Por último, y aun cuando no se diga en este artículo, además de la responsabilidad civil y el cese de la actividad ilícita, los titulares de los derechos de propiedad intelectual podrán solicitar, con carácter previo a la sentencia, la adopción de las medidas cautelares previstas en el artículo 136 de la LPInt.: la intervención y el depósito de los ingresos obtenidos con la actividad ilícita, la suspensión de la reproducción, distribución y comunicación pública, el secuestro de los ejemplares producidos y del material empleado, incluidos los instrumentos cuyo único uso sea facilitar la supresión o inutilización de los dispositivos técnicos de protección de los programas de ordenador, y el embargo de los equipos, aparatos y materiales necesarios para responder del pago de la responsabilidad civil.

5. *DELITOS RELATIVOS AL MERCADO Y A LOS CONSUMIDORES*

5.1. *Descubrimiento de secretos de empresa. Su difusión*

Artículo 278: **1.** *«El que para descubrir un secreto de empresa se apoderare por cualquier medio de datos, documentos escritos o electrónicos, soportes informáticos u otros objetos que se refieran al mismo, o empleare alguno de los medios o instrumentos señalados en el apartado 1 del artículo 197, será castigado con la pena de prisión de dos a cuatro años y multa de doce a veinticuatro meses.*

2. Se impondrá la pena de prisión de tres a cinco años y multa de doce a veinticuatro meses si se difundieren, revelaren o cedieren a terceros los secretos descubiertos.

3. Lo dispuesto en el presente artículo se entenderá sin perjuicio de las penas que pudieran corresponder por el apoderamiento o destrucción de los soportes informáticos».

En este precepto el legislador recoge una serie de conductas paralelas, en general, a las contenidas en el artículo 197, si bien guiadas por un propósito distinto: mientras en éste el apoderamiento de los documentos, datos, etc. se hace con la finalidad de vulnerar la intimidad ajena, en el tipo que nos ocupa el sujeto activo pretende descubrir, conocer, determinados datos relevantes de la empresa, tipificándose lo que se conoce como «espionaje industrial». Y, al igual que ocurre en el delito citado, el legislador ha tenido en cuenta aquí los nuevos sistemas técnicos de almacenamiento de datos.

A) Descubrimiento de secretos de empresa

El apartado 1º recoge las conductas relacionadas con el descubrimiento de secretos de empresa.

a) Bien jurídico protegido

Esta figura está ubicada entre los delitos relativos al mercado y a los consumidores, lo que denota la idea de que el bien jurídico protegido está relacionado con la actuación de la empresa en el mercado, o, como señala generalmente la doctrina, con su capacidad competitiva, concepto, además, que debe entenderse en términos económicos, de acuerdo con la naturaleza de esta infracción, encuadrada en el título relativo a los delitos contra el patrimonio y el orden socio-económico (Tít. XIII-L.II). Así pues, las conductas previstas en este precepto tendrán relevancia penal cuando puedan afectar, al menos potencialmente, a los intereses económicos de la empresa.

b) Sujetos

Dada la configuración del sujeto activo, estamos ante un tipo común, en el que cualquiera puede realizar la acción delictiva, tanto las personas directamente relacionadas con la empresa (trabajadores, personal directivo, profesionales que realicen labores de asesoramiento, administradores, etc.), como terceros ajenos a la misma, puesto que, a diferencia del artículo 499 del Código anterior, que restringía el círculo de posibles autores a encargados, empleados u obreros, el precepto que examinamos no exige que el autor tenga ningún tipo de vinculación con la entidad. De modo que, quedan cubiertos por este delito, no sólo el apoderamiento de información confidencial por parte de los empleados de la empresa afectada, sino, también, los actos de *espionaje*, como los llevados a cabo por personas relacionadas con las empresas competidoras, guiadas por fines lucrativos o, simplemente, interesadas en desacreditar a aquélla en el mercado; supuestos nada desdeñables, y que hasta ahora quedaban al margen de esta regulación.

Sujeto pasivo es la empresa en cuanto titular de los intereses patrimoniales a los que afecta la vulneración del secreto, ya pertenezca a un empresario individual, ya una pluralidad de socios.

c) Conducta típica

La conducta consiste en *apoderarse* de datos, documentos, soportes informáticos u otros objetos, o en *emplear* alguno de los medios o instrumentos señalados en el artículo 197, con el fin de descubrir un secreto de empresa; acciones que se engloban en lo que comúnmente se conoce como «espionaje industrial». Adviértase, empero, que en este precepto no se habla ya de industria, como en el Código penal derogado, sino de empresa, por lo que tendrán cabida en el tipo todas las conductas atentatorias contra los datos reservados de cualquier empresa comercial, de servicios, etc.

Como ya se ha apuntado, es *secreto* el conocimiento reservado a un número limitado de personas y oculto a otras. Ahora bien, este concepto ha de relacionarse con el bien jurídico protegido en esa norma, de modo que la información vulnerada habrá de estar relacionada con la empresa, y más concretamente, con su capacidad competitiva. Sirva de ejemplo, la definición dada por la Audiencia Provincial de Madrid, que considera secreto de empresa «el conocimiento reservado sobre ideas, productos o procedimientos que el empresario, por su valor competitivo para la empresa, desea mantener ocultos» (SAP de Madrid, de 28 de abril de 1999 —El Der., 1999/19152—). Por lo tanto, cuando la información no esté directamente relacionada con la actividad empresarial (por ejemplo, si lo que se pretendiese descubrir fuesen irregularidades cometidas por el empresario, datos de su vida privada, etc.) la conducta quedará extramuros de la tutela conferida en este artículo, lo que no empece para que puedan resultar de aplicación otros preceptos del Código (artículos 197, 199, etc.).

Esos datos reservados pueden referirse al sector técnico industrial de la entidad (proceso de fabricación, reparación o montaje, prácticas manuales para la puesta a punto de un producto, etc.), al ámbito puramente comercial (lista de clientes, proveedores, cálculo de precios, etc.), o a otros aspectos de la organización interna de la misma (Bajo Fernández; Martínez-Buján Pérez, 1996, 1999). A lo que hay que añadir que no es necesario que esa información haya sido patentada (STS de 24 de abril de 1989 —El Der., 1989/4329—).

Por nuestros Tribunales de justicia se han considerado secretos de empresa, la lista de proveedores, los precios de adquisición de productos —en la que pueden haber mediado negociaciones de oportunidad—, márgenes de ganancias variables de unos productos a otros, y franja horaria en la que se venden más productos (SAP de Alicante, de 19 de diciembre de 1998 —Ar. 4400—); así como un listado de clientes (ya que «representa la existencia de unos datos confidenciales que le permiten dirigirse a ellos con exclusividad para la venta de sus productos, pues su conocimiento por parte de empresas competidoras, podría establecer una competencia con perjuicio patrimonial para quien posee esos datos») (SAP de Zaragoza, de 3 de diciembre de 1999 —El Der., 1999/51806—).

Apoderarse significa, en general, hacer propio, tomar, coger, si bien no es ocioso advertir que en la medida en que se sanciona el apoderamiento «por cualquier medio» de los datos, que pueden hallarse, además, en todo tipo de soportes, inclusive documentos electrónicos y soportes informáticos, dicho término no puede implicar aprehensión física del soporte en el que se encuentra la información, bastando la apropiación de los datos en cualquier forma que permita su posterior reproducción o utilización (copiándolos, grabándolos, etc.); lo que no obsta para que se requiera una acción positiva del autor dirigida a la obtención de la información reservada, sin que sea suficiente, como dijimos, que aproveche el descuido del titular del secreto. (Así parece entenderlo también el Tribunal Supremo, en la S. de 14 de septiembre de 2000 —El Der., 2000/27681—, en la que niega que la acción indicada implique apoderamiento físico, aunque alude, en su defecto, a la posibilidad de aplicar «cualquier otra forma técnica» que permita la reproducción posterior, y, en concreto, a las fotocopias). Más discutible resulta, en cambio, el castigo de la mera visualización y memorización de los datos secretos (a favor de su incriminación, Matellanes Rodríguez; en contra, Gutiérrez Francés, 1996); posibilidad que podría afirmarse cuando esa memorización vaya precedida de un acto ilegítimo del autor dirigido a obtener la información secreta, sin que sea suficiente que éste aproveche el descuido de un tercero que haya dejado a su alcance los datos reservados.

La acción puede realizarse, además, por alguna de las vías previstas en el artículo 197.1 (para cuyo comentario nos remitimos al lugar correspondiente de este trabajo), sin que los medios regulados en este precepto comporten cambios sustanciales respecto a los descritos en el presente artículo. De utilizarse varios de los mecanismos indicados, el delito continúa siendo único (Martínez-Buján Pérez, 1996). No obstante, la limitación de esta remisión a las conductas enumeradas en el número primero del artículo 197, y no a las del apartado segundo, en el que se castiga el acceso a los datos registrados en un sistema informático, genera dudas respecto a la aplicación o no del artículo 278, v.gr., cuando el autor entra subrepticiamente en un ordenador de la empresa y memoriza datos que afectan a su capacidad competitiva (pues si los copia, los imprime, o los graba en algún tipo de soporte, cabe afirmar que se apodera de ellos). Pese a lo cual, no vemos obstáculo para considerar que en dicha hipótesis existe un acto de apoderamiento, punible de acuerdo con la descripción primera de aquél precepto, toda vez que el sujeto se adueña de la información mediante una acción positiva de suficiente entidad como para dar lugar a la aplicación del Derecho penal.

c) Aspecto subjetivo

Para la realización del delito no basta la concurrencia de dolo, se precisa, además, que el apoderamiento se lleve a cabo *para descubrir un secreto de empresa*. Mediante este elemento subjetivo se impide la posibilidad de castigar la actuación culposa (o con dolo eventual), al propio tiempo que se adelanta la consumación al momento de la apropiación de los datos o documentos, o la utilización de los instrumentos señalados, sin precisarse que efectivamente llegue a desvelarse la información reservada.

En consecuencia, cualquier otra forma de conocimiento de los datos secretos no presidida por esa finalidad específica (su descubrimiento casual, por ejemplo), será atípica, aun cuando una vez conocidos se revelen en perjuicio de las posibilidades competitivas de la empresa.

d) Especiales formas de aparición del delito

Como indicábamos antes, la presencia del elemento subjetivo indicado determina que para la consumación del delito sea suficiente el apoderamiento intencional de los soportes en los que se halla la información confidencial, sin necesidad de su efectivo descubrimiento. Estamos, por tanto, ante un delito mutilado de dos actos en el que la consumación se adelanta al momento en que se realiza la acción con el fin indicado, con independencia de que el autor llegue a averiguar los datos secretos. De acuerdo con ello, no se precisa tampoco la comunicación a un tercero de la información descubierta, que de producirse determinaría la aplicación del subtipo agravado del apartado siguiente. No obstante, como se desprende del precepto transcrito más arriba (en el que se precisa que los datos, documentos o soportes «se refieran» al mismo, esto es, al secreto de empresa), el material apropiado debe contener realmente información reservada, lo que no es óbice para admitir la comisión en grado de tentativa, si el sujeto intenta apoderarse de esos documentos secretos (por ejemplo, entrando en el sistema informático en el que estuviesen archivados), pero no logra el apoderamiento. Por el contrario, si la acción recae sobre documentos que no contengan ningún secreto de empresa la conducta será atípica, sin perjuicio de que puedan aplicarse otros preceptos del Código penal.

B) *Difusión de los secretos de empresa*

El apartado 2° contempla un tipo agravado en los supuestos en que, una vez descubiertos los datos secretos de la empresa, se comunican a terceros.

Con todo, parece lógico exigir que el sujeto que transmite la información sea el mismo que realizó el descubrimiento, habida cuenta del notable incremento de pena que se produce en este número en relación con el tipo básico. De no entenderse así se sancionaría con una pena mayor a quien se limita a revelar los datos secretos, que a quien lleva a cabo la conducta maliciosa de apropiación de los mismos. Conclusión que es confirmada por el artículo 280, en el que se prevé la conducta de quien, conociendo el origen ilícito de la información, pero sin haber tomado parte en el descubrimiento, la comunique a otras personas, sancionando esta revelación con una pena notoriamente inferior a la del que obtiene la comunicación secreta. A mayor abundamiento, esta interpretación está en sintonía con la configuración dada al delito de descubrimiento de secretos de empresa en el apartado primero, en el que, como hemos visto, no se requiere para la consumación la divulgación de la información obtenida.

El fundamento de la agravación se halla aquí en el mayor peligro que entraña para el bien jurídico protegido, esto es, para la capacidad competitiva de la empresa, el conocimiento por terceros de los datos relevantes para la misma, lo que implica negar la aplicación de este apartado, recurriendo al tipo básico, cuando la información se transmita a personas que no puedan incidir en la actuación comercial de la entidad (en el mismo sentido, González Rus). Si bien, deberá tenerse en cuenta la influencia indirecta que, a través de terceros (personal de empresas competidoras, etc.), puede ejercer el sujeto receptor.

Por el contrario, no se precisa para la consumación la existencia de perjuicio efectivo, bastando que la información revelada sea virtualmente perjudicial para los intereses económicos de la empresa. Mas, por razones obvias, no cabe aquí las formas imperfectas de ejecución del delito.

C) Regla concursal

El párrafo tercero contiene una alusión expresa al concurso de delitos entre las conductas previstas en el artículo 278 y las infracciones que puedan derivar del apoderamiento o destrucción de los soportes informáticos que contengan la información reservada (robo, hurto, daños, etc.); regla que no contempla la destrucción o apropiación de los demás elementos enumerados en el artículo 278 (documentos escritos, objetos relativos al secreto, etc.). Pese a lo cual, deben entenderse aplicables las reglas generales del concurso de infracciones, toda vez que esas conductas pueden lesionar bienes jurídicos (patrimonio, etc.) distintos al que se protege en el artículo 278 (capacidad competitiva de la empresa), como se desprende de la desafortunada norma concursal.

5.2. Difusión y utilización del secreto por el obligado a guardar reserva

Artículo 279: «*la difusión, revelación, o cesión de un secreto de empresa llevada a cabo por quien tuviere legal o contractualmente obligación de guardar reserva, se castigará con la pena de prisión de dos a cuatro años y multa de doce a veinticuatro meses.*

Si el secreto se utilizara en provecho propio, las penas se impondrán en su mitad inferior».

A diferencia del supuesto previsto en el artículo anterior, la presente norma no castiga el apoderamiento ilícito de un secreto ajeno, sino la revelación o utilización de la información por parte de quien la conoce legítimamente. Nos hallamos, por tanto, ante un delito especial propio, en el que existe una relación previa entre el sujeto activo y la empresa, en virtud de la cual el primero puede acceder a los datos reservados de la entidad, si bien con la prohibición de revelarlos, consistiendo la infracción, precisamente, en el incumplimiento de esa obligación de reserva.

Si quien difunde los datos secretos no tuviera ese especial deber de sigilo, su conducta será impune, salvo que resulte de aplicación el precepto anterior (es decir, si se hubiera apoderado personalmente de la información), o el artículo 280 (cuando habiéndose obtenido por otro ilícitamente, el autor revele los datos conociendo esta eventualidad). Y esta será también la solución a adoptar cuando quien divulgue los secretos sea un empleado de la empresa, sobre el que pese la obligación genérica de diligencia y buena fe a que alude el artículo 5 del Estatuto de los trabajadores, pero no ese concreto deber de reserva, en cuyo caso la conducta sólo dará lugar a la infracción de deberes generales, originadora, en su caso, de responsabilidad civil (SAP de Madrid, de 28 de abril de 1999 —El Der., 1999/19152—).

Estamos, por tanto, ante un delito de peligro que, al igual que el previsto en el artículo anterior, se consuma con la mera comunicación a terceros de los datos reservados que puedan comportar una disminución de la capacidad competitiva de la empresa, sin necesidad de que esta merma se produzca.

Por su parte, el último párrafo atenúa la pena en los casos en que el sujeto activo utilice la información de la empresa en beneficio propio, aprovechamiento que deberá derivar directamente del secreto y redundar en un perjuicio, al menos potencial, para la capacidad competitiva de la empresa (vid. SAP de Vizcaya, de 19 de abril de 2000 —El Der., 2000/33224—), sin que baste la mera utilización de la experiencia adquirida (en este sentido, Carbonell Mateu).

La doctrina no es conteste, sin embargo, respecto a las razones que han motivado esa atenuación, siendo así que el sujeto activo no se limita a revelar datos virtualmente perjudiciales para la empresa, sino que los utiliza, convirtiéndose en competidor, o afectando de otro modo a la competitividad de la entidad. Al respecto, apuntan algunos autores que su razón de ser está en el menor desvalor de acción, probablemente por entender que quien está en posesión de una información reservada de este tipo casi siempre habrá contribuido a la formación de la misma, por lo que en cierto modo se está beneficiando de lo que en mayor o menor grado es fruto de su propio esfuerzo (cfr. González Rus). Otros, entienden que responde a que normalmente la competencia desleal tendrá un carácter más retardado si se utiliza la información en beneficio propio que si se comunica a terceros, por ejemplo, porque el sujeto debe establecer todavía su propia empresa; además de estar *a priori* más acotado el marco de competencia ilícita (Morales Prats/Morón Lerma). Sea como fuere, al tratar del fundamento de esta disposición debe tenerse presente, tanto el origen legítimo de la información, como el menor peligro que comporta para el objeto de tutela la utilización por un único sujeto, frente al posible uso por varias personas en caso de revelación a terceros.

5.3. *Aprovechamiento del secreto de empresa*

Artículo 280: «*El que, con conocimiento de su origen ilícito, y sin haber tomado parte en su descubrimiento, realizare alguna de las conductas descritas en los dos artículos anteriores, será castigado con la pena de prisión de uno a tres años y multa de doce a veinticuatro meses*».

Mediante esta remisión a los artículos anteriores se castiga a quien revela un secreto de empresa, sin estar legal o contractualmente obligado a guardar reserva (supuesto recogido en el precepto anterior), o lo utiliza en beneficio propio, conociendo su origen ilícito, sin haber tomado parte en su descubrimiento. Encajan en este precepto, por ejemplo, los supuestos de adquisición de información confidencial por parte de empresas competidoras, su obtención por los intermediarios para comerciar con ella, etc.

No obstante, la técnica legislativa utilizada por el legislador en esta norma resulta perturbadora en cuanto que las disposiciones precedentes exigen determinados requisitos, innecesarios en este caso, y que enturbian la delimitación de las conductas prohibidas. Por lo tanto, resultaría preferible, en aras de la seguridad jurídica, que el legislador enumerara esas acciones.

5.4. *Disposiciones comunes a las secciones anteriores*

(Delitos relativos a la propiedad intelectual, industrial, y al mercado y a los consumidores).

Artículo 287: 1. «*Para proceder por los delitos previstos en los artículos anteriores del presente capítulo será necesaria denuncia de la persona agraviada o de sus representantes legales. Cuando aquélla sea menor de edad, incapaz o una persona desvalida, también podrá denunciar el Ministerio Fiscal.*

2. No será precisa la denuncia exigida en el apartado anterior cuando la comisión del delito afecte a los intereses generales o a una pluralidad de personas».

Artículo 288: «*En los supuestos previstos en el artículo anterior se dispondrá la publicación de la sentencia en los periódicos oficiales y, si lo solicitara el perjudicado, el Juez o el Tribunal podrá ordenar su reproducción total o parcial en cualquier otro medio informativo, a costa del condenado.*

Además, el Juez o Tribunal, a la vista de las circunstancias del caso, podrá adoptar las medidas previstas en el artículo 129 del presente Código».

Como vemos, en estos delitos se recoge una modalidad específica de reparación civil, consistente en la publicación de la sentencia condenatoria en los diarios oficiales, y, potestativamente, en otros medios de comunicación. Medida que en este caso tiene como objeto impedir los perjuicios económicos que la actividad ilícita pueda ocasionar al titular del derecho de propiedad intelectual o industrial, o a la empresa afectada, lo que denota su naturaleza de medida cautelar más que de responsabilidad civil, como ya apuntamos al tratar de los delitos contra la propiedad intelectual.

Asimismo, se declaran aplicables las consecuencias accesorias previstas en el artículo 129 del Código, medidas que podrán

concurrir con las previstas en la LPInt. en los casos en que el
delito afecte a este derecho.

5.5. *Publicidad engañosa*

El *www* se utiliza con fines publicitarios de forma cada vez
más intensa, y como consecuencia en *Internet* se difunden
eslóganes, mensajes, imágenes, a través de los cuales puede
realizarse la conducta tipificada en el artículo 282 del Código
penal, cuyo texto es el siguiente:

> **«Serán castigados con la pena de prisión de seis meses a un años o
> multa de seis a dieciocho meses los fabricantes o comerciantes que, en
> sus ofertas o publicidad de productos o servicios. Hagan alegaciones
> falsas o manifiesten características inciertas sobre los mismos, de modo
> que puedan causar un perjuicio grave y manifiesto a los consumidores,
> sin perjuicio de la pena que corresponda aplicar por la comisión de otros
> delitos.»**

a) *Bien jurídico*

Ha sido definido como el interés difuso del grupo colectivo
de consumidores en la veracidad de los medios publicitarios,
concebido como un aspecto particular del orden global del
mercado; interés que se tutela en cuanto va ligado a genuinos
bienes jurídicos individuales, como el patrimonio o la libertad
de disposición de las personas (Martínez-Buján Pérez). Y, en
efecto, en el artículo reproducido más arriba, se describen
conductas susceptibles de inducir a error a los potenciales
clientes de un producto sobre sus características, propiedades,
etc.; con la consiguiente interferencia en sus procesos resoluti-
vos sobre la adquisición o no de productos o servicios; pero
solamente son punibles, según se insiste en el propio artículo
282, cuando «puedan ocasionar un perjuicio grave y manifiesto
a los consumidores». Lo que, obviamente, significa que no es
necesario que el perjuicio se materialice, que basta con que las
alegaciones falsas sean idóneas para producir el perjuicio grave
y manifiesto. Por esto, el delito se enclava entre los de peligro,
entre los llamados delitos de aptitud.

Los adjetivos «grave» y «manifiesto» están necesitados de
valoración, y son indicativos de que el perjuicio ha de ser de
entidad al tiempo que patente. Un perjuicio será de entidad,
fundamentalmente, en atención al montante que puede llegar

a importar; y será patente, cuando pueda afirmarse que las alegaciones y manifestaciones realizadas, por la forma y el momento en que se efectuaron, por los medios utilizados para su transmisión, en suma, por el conjunto de circunstancias que las rodearon, eran inequívocamente aptas para causar el perjuicio. Por otra parte éste ha de ser de naturaleza patrimonial —no debe perderse de vista que nos encontramos en los pagos de los delitos de este signo—, debiendo remitirse otros perjuicios, como los causados a la salud de los consumidores a otros títulos del Código penal, en concreto a los delitos contra la salud pública (en este sentido, Martínez-Buján).

Ciertamente, los términos empleados por el legislador no están exentos de imprecisión, y obligan a Jueces y Tribunales a realizar un notable esfuerzo para establecer que se dan los dos referidos requisitos, y sobre todo para determinar que pudo ocasionarse un perjuicio grave y manifiesto con motivo de la publicidad desplegada por unos fabricantes o comerciantes.

b) Sujeto activo

El tipo está referido a los comerciantes y a los fabricantes, con los que queda cerrado el círculo de los posibles autores. Por ello, las empresas y agencias de publicidad, los exhibidores, las cadenas de televisión o los propietarios de portales de *Internet*, etc., o por mejor decir, los responsables de tales corporaciones (vid., el artículo 31, y muy especialmente el 30, ambos del Código penal), sólo pueden ser responsabilizados a título de cooperadores necesarios, por más que la mayoría de las veces sean las agencias publicitarias las que deciden el mensaje y el aspecto del producto que se resalta en las diferentes modalidades existentes de darlo a conocer y promocionarlo. Estamos, pues, frente a un delito especial propio.

c) Conducta típica

Está descrita como hacer alegaciones falsas o manifestar características inciertas de productos o servicios en las ofertas y en la publicidad realizadas sobre éstos. Por tanto, requiere de un comportamiento activo, y deja fuera la omisión de información sobre efectos secundarios nocivos o defectos que puede tener el producto o servicio (Carbonell Mateu), que es igualmente determinante de una interferencia engañosa en el proceso de tomar la decisión de adquirir o contratar aquéllos, así como susceptible de la causación de un perjuicio patrimonial. Las alegaciones y las manifestaciones podrán realizarse verbalmente —cuando el o los mensajes no respondan a la verdad— o por medio de imágenes, etc., y serán penalmente relevantes siempre que afecten a aspectos esenciales del producto o del servicio ofertados (y vayan seguidos de la creación del peligro para el bien jurídico).

La falsedad puede aflorar en la publicidad o en las ofertas de los productos o servicios. Y la publicidad se define en la ley general de publicidad de 1988:

«toda forma de comunicación realizada por persona física o jurídica, pública o privada, en el ejercicio de una actividad comercial, industrial, artesanal o profesional, con el fin de promover de forma directa o indirecta la contratación de bienes muebles o inmuebles, servicios, derechos y obligaciones.»

El término «ofertas» parece estar referido a actividades que no siendo estrictamente publicitarias tienden a la presentación de un producto y/o a su puesta a la venta; por lo que sin gran esfuerzo pueden considerarse embebidas en la actividad publicitaria, como ha destacado la doctrina (vid., por todos, Valle Muñiz).

d) Aspecto subjetivo

El dolo del autor ha de abarcar el conocimiento de que las alegaciones hechas son falsas o que son inciertas las manifestaciones sobre las características del producto o de los servicios ofertados, así como del riesgo que entrañan para el bien jurídico.

Es posible la comisión con dolo eventual, si el sujeto se representa la probabilidad de que se cause el perjuicio y es consciente de la falsedad señalada (en este sentido, Martínez-Buján; Bajo Fernández/Bacigalupo).

e) Especiales formas de aparición del delito

Para la consumación del delito basta con que se haga la manifestación incierta o la alegación inveraz, siempre que mediante ellas se genere el peligro de causación del perjuicio manifiesto y grave para los consumidores. Si una vez preparada la campaña publicitaria es descubierta antes de su lanzamiento, cabe pensar en una ejecución intentada, si se aprecia el peligro típico (en este sentido, Martínez-Buján; en contra, Bajo Fernández/Bacigalupo).

La comisión del delito publicitario se producirá normalmente de modo reiterado, siendo entonces aplicable la figura del delito continuado (artículo 74) con la que es perfectamente compatible, y con frecuencia también vinculado concursalmente a otras figuras delictivas, como la estafa en especial; posibilidad a la que se refiere la cláusula que cierra el artículo 282.

Capítulo III
DELITO DE AMENAZAS

Dar a entender a otro, generalmente, mediante palabras, pronunciadas o escritas, que se le quiere causar un mal se castiga en los artículos 169 y siguientes del Código penal, con penas que varían en atención a si el mal es o no constitutivo de delito, a si su materialización se hace depender o no de una condición, a si se consigue el propósito perseguido o se frustra, al medio empleado para transmitir el referido mensaje y a si se dirigen a atemorizar a un grupo de personas. En concreto, por lo que aquí nos interesa, en el número 1º del artículo 169 se dispone que

> *«El que amenazare a otro con causarle a él, a su familia o otras personas con las que esté íntimamente vinculado un mal que constituya delitos de homicidio, lesiones, aborto, contra la libertad, torturas y contra la integridad moral, la libertad sexual, la intimidad, el honor, el patrimonio y el orden socioeconómico, será castigado:*
>
> *«1º Con la pena de prisión de uno a cinco años, si se hubiere hecho la amenaza exigiendo una cantidad o imponiendo cualquier otra condición, aunque no sea ilícita, y el culpable hubiere conseguido su propósito. De no conseguirlo, se impondrá la pena de prisión de seis meses a tres años.*
>
> *«Las penas señaladas en el artículo anterior se impondrán en su mitad superior si las amenazas se hicieren por escrito, por teléfono o por cualquier medio de comunicación o de reproducción, o en nombre de entidades o grupos reales o supuestos.*
>
> *«2º Con la pena de prisión de seis meses a dos años, cuando la amenaza no haya sido condicional».*

A las anteriores modalidades han de sumarse las relativas a amenazas condicionales de un mal no constitutivo de delito (artículo 171.1), al chantaje (artículo 171.2 y 3), y las cualificaciones contempladas en el artículo 170. Así pues, hay varias modalidades de amenazas, todas las cuales pueden ser cometidas con el uso de la informática; pero, al ser el núcleo de las formas comisivas prácticamente el mismo en todas las variantes nos centraremos en las establecidas en el artículo 169.

1. CUESTIONES GENERALES

Las amenazas, como las coacciones, inciden sobre la libertad de obrar, sobre la voluntad del sujeto pasivo, pero en momentos distintos (como puso de relieve Mira Benavent); pues, mientras las coacciones suponen impedir a una persona hacer lo que la ley no prohibe o compelerla a hacer lo que no quiere, comportando así la imposición de una decisión —mejor, de una acción o de una omisión—, que aflora en la fase ejecutiva, toda vez que la víctima es llevada a actuar o a abstenerse de actuar contra su voluntad; quien amenaza a otro persigue que éste adopte una resolución, la querida por aquél, resultando afectada de este modo una fase previa a la de ejecución, la fase en que se toman las decisiones. Y las amenazas, como las coacciones —y como tantas otras infracciones—, tienen un natural graduable, pudiendo afectar y recortar más o menos la libertad del sujeto pasivo, y así lo ha comprendido el legislador al escalonarlas en varias clases, desde la falta del artículo 620.2º hasta las diferentes figuras delictivas de los artículos 169, 170 y 171, y prever para ellas penas diversificadas.

Las penadas en el artículo 169 pueden presentarse bajo diferentes formas, condicionales o no condicionales, y todas ella pueden ser llevadas a cabo aprovechando las transmisiones electrónicas, aunque el específico subtipo agravado del párrafo segundo del artículo 169.1 se halla vinculado a las amenazas condicionales y no a las restantes. La condición puede estribar en la exigencia de una cantidad de dinero o de cualquier otro bien evaluable económicamente, o de cualquier otra cosa, o de un comportamiento que habrá de realizar o no realizar la persona amenazada o un tercero. Y en este último supuesto caben dos hipótesis: A advierte a B que le causará un mal si no influye sobre C o no consigue que éste haga algo que A desea; A dice a C que si no le entrega un determinado bien causará un mal a B. En ambas, el mal pende sobre B, pero en la primera el amenazado directamente es el propio B, y en la segunda, C, que en las dos se enfrenta a la tesitura de acceder a lo demandado o correr el riesgo de que B sufra el daño conminado, y para ambas es aplicable el artículo 169.

El mal ha de ser constitutivo de uno de los delitos enumerados en el párrafo inicial, en tanto la condición puesta puede ser lícita o ilícita, y, desde luego posible para el amenazado (así se entiende también en la STS de 20 de noviembre de 1996), pues, de otro modo no estaríamos en realidad ante una amenaza condicional, sino ante una amenaza simple. La imposibilidad de cumplir la condición determinará que la amenaza sea atípica en relación con el número 1° del artículo 169, pero no en relación con el 2°, porque no habiendo diferencias apreciables en punto a la intimidación y a la intranquilidad sembrada, entre decir a otro: si mañana no me das mil millones (que ese otro no tiene la menor posibilidad de recabar), te mato; o decirle: mañana, tan pronto te vea, te mato; tampoco debe haberlas a la hora de calificar una y otra conducta. Bien entendido que no es imprescindible que se produzca aquel sentimiento de intranquilidad, si por tal se entiende un estado de inquietud y zozobra con síntomas externos de extremado nerviosismo o ansiedad, puesto que el delito se consuma por más que el sujeto amenazado mantenga una serena actitud y reflexione con frialdad sobre los pros y los contra de no complacer al agente. Lo que cuenta es que aquél haya recibido el mensaje y creído en su seriedad, y haya tenido que enfrentarse a la disyuntiva de acceder o resistirse a las demandas, por temor a las represalias avisadas, con la consecuente perturbación de su proceso de toma de decisiones. Si por el contrario, el amenazado no diese la menor importancia a la amenaza, porque no la tomara en serio y le pareciera una mera baladronada, no podría hablarse en propiedad de la existencia de un delito del artículo 169.

Por otra parte, la amenaza ha de ser proferida de forma seria, ha de tener visos de ser real y dejar claras las intenciones del autor de cumplirla, aunque éste, íntimamente, no piense ponerlas en práctica si el sujeto pasivo no se aviene a sus requerimientos (vid. la STS de 18 de noviembre de 1994).

Plantea dudas si el delito de amenazas debe clasificarse entre los delitos de peligro (opción sustentada por Jareño Leal y en las SSTS de 19 de septiembre de 1994, 13 de mayo de 1995, 21 de enero de 1997) o entre los de lesión (Carbonell Mateu/ González Cussac). Habiéndose apuntado también que el propio delito de amenazas establece una gradación entre delito de peligro concreto y delito de lesión, en razón del distinto trato penológico asignado, según se alcance o no el propósito perseguido por el autor (Prats Canut). Y ciertamente, dadas las características del delito, no resulta fácil tomar partido sobre el particular. Por un lado, la amenaza puede afectar a la tranquilidad de su destinatario y llevarle a tomar una decisión que de otra manera no hubiera tomado, incluso a realizar un hecho ilícito; por otro, si rechaza la condición corre el riesgo de ser sujeto pasivo, o de que lo sea un familiar o allegado, de un delito de homicidio, de lesiones, etc., con el consiguiente peligro para cada uno de los objetos formales tutelados en los mencionados delitos; entre los que, finalmente, unos requieren que el culpable haya alcanzado su propósito y otros, que no. Desde este punto de vista resulta lógico adjetivar a las amenazas como delitos de peligro —para aquellos objetos; salvo quizá si nos atenemos a la modalidad en la que se requiere que el sujeto logre su propósito—. Pero, al tiempo, como aquéllas generan un estado de preocupación e inquietud, y obligan al que las recibe a contrapesar las palabras transmisoras, puede hablarse de un «resultado», en línea con la ampliación de la noción de resultado, generalmente aceptada, y, sobre todo, de un delito de lesión, pues si no hay alteración anímica, en el sentido antes indicado, no hay en rigor menoscabo para el bien jurídico, y ha de hablarse, a lo sumo, de tentativa.

En este sentido la jurisprudencia ha resumido así los elementos constitutivos de este delito:

1º) Una conducta por parte del sujeto activo integrada por hechos o expresiones susceptibles de causar una intimidación en el ánimo del sujeto pasivo, dando a entender la realización futura, más o menos inmediata, de un mal.

2º) Que en el agente no sólo se dé el elemento subjetivo general de la conciencia y voluntariedad del acto, en el que pueda asentarse el reproche de culpabilidad, sino también que la expresión del propósito sea persistente y creíble, que es lo que integra el delito distinguiéndolo de las contravenciones afines.

3º) Que concurran circunstancias concomitantes y circundantes a los hechos que permitan valorar la emisión y recepción del anuncio de un mal como de entidad suficiente para merecer la repulsa social y servir de soporte al juicio de antijuridicidad (SSTS de noviembre de 1978, 13 de mayo de 1980, 2 de febrero, 25 de junio, 27 de noviembre y 7 de diciembre de 1981, 13 de diciembre de 1982, 30 de octubre de 1985, 18 de septiembre de 1986, 28 de diciembre de 1999, 24 de enero del 2000).

2. SUBTIPO AGRAVADO

Hechas estas precisiones, nos centraremos en el subtipo agravado del párrafo segundo del artículo 169.1°, que presupone una amenaza condicional de un mal constitutivo de alguno de los delitos enunciados en el encabezamiento del artículo 169. Una de las variantes de aquél admite la verificación por medios informáticos, pues lo son de comunicación y de transmisión, porque nada más fácil que hacer saber a alguien, por su intermedio, que se le causará un mal constitutivo de delito si no se aviene a satisfacer determinadas exigencias; tarea que puede desarrollarse de varias formas: vía correo electrónico, por la intromisión en un programa ajeno o en una página *web*, dejando en ellos el recado, con la posibilidad de no dejar huellas que permitan la identificación del emisor y de dificultar notablemente el rastreo para su detección.

La fundamentación de este subtipo agravado se ha cifrado en que los medios descritos poseen una mayor capacidad de quebrar la libertad de obrar del sujeto pasivo, ya sea por su carácter anónimo, por su apariencia de realidad o por su especial potencialidad intimidatoria (Carbonell Mateu/González Cussac). Algo que cobra mayor verosimilitud cuando la amenaza parece proceder de ciertos grupos, pues puede resultar tanto o más intimidante que la manifestación directa, hecha a cara descubierta por un individuo con todo el aspecto de no andarse por las ramas y de no vacilar a la hora de materializar una amenaza. De hecho, expresar por escrito el designio de hacer mal a una persona no deja de denotar torpeza o ingenuidad, aunque también seguridad en las propias fuerzas, y posiblemente puede provocar en aquélla una tremenda sensación de vulnerabilidad, cuando en el «sancta sanctorum» de su hogar recibe amenazas en su correo electrónico o en archivos de uso exclusivo guardados en su ordenador.

Alguna afinidad con la figura brevemente comentada guarda la contenida en el número 2 del artículo 171, conforme al cual

«Si alguien exigiere de otro una cantidad o recompensa bajo la amenaza de revelar o difundir hechos referentes a su vida privada o relaciones familiares que no sean públicamente conocidos y puedan afectar a su fama, crédito o interés, será castigado con la pena de prisión de dos a cuatro años, si ha conseguido la entrega de todo o parte de lo exigido, y con la de seis meses a dos años, si no lo consiguiere».

Se trata de una especie de amenaza condicional de un mal no constitutivo de delito cualificada, en la que se tipifica el chantaje, en cuya comisión puede haber alguna suerte de manipulación informática, sea para obtener información sobre aspectos íntimos de la vida de una persona, sea para hacer llegar el mensaje a la víctima de las exigencias económicas del extorsionador. En el primer caso, podría surgir un concurso de delitos con alguno de los relativos al descubrimiento y revelación de secretos.

3. *FORMAS DE APARICIÓN DEL DELITO*

En cuanto a la consumación del delito de amenazas, la jurisprudencia de la Sala II del Tribunal Supremo, al considerarlo como de mera actividad, ha estimado que se produce con la llegada del anuncio a su destinatario, y su ejecución consiste en la conminación de un mal con apariencia de seriedad y firmeza, sin que sea necesaria la producción de la perturbación anímica que el autor persigue, de manera que basta con que las expresiones utilizadas sean aptas para amedrentar a la víctima. (SSTS de 9 de octubre de 1984, 18 de septiembre de 1986, 23 de mayo de 1989, 28 de diciembre de 1990, 21 de enero de 1997, 26 de febrero de 1999). Criterio compartible con las matizaciones hechas antes: la consumación tiene lugar cuando la víctima se entera de la amenaza y, por los visos con que está formulada, se la toma en serio, y comprende que ha de elegir entre complacer al agente o correr el riesgo de que cumpla su palabra, con el corolario de sufrir un mal en un bien propio o de un allegado.

Las dificultades con que tropiezan los delitos de mera actividad para resultar compatibles con la ejecución incompleta, no la imposibilitan del todo. De modo que es verosímil la tentativa de amenaza, por más que no sea probable (como lo atestiguan algunas SSTS, como las de 20 de mayo de 1944 y 30 de enero de 1956; en la primera de las cuales se condenó por amenazas frustradas a quien envió una carta amenazante que no llegó a su destinatario sino a la esposa de éste).

Por lo demás, si la amenaza va seguida por la comisión del delito avisado aparecerá un concurso real de delitos, ya que se habrá producido la lesión de dos bienes jurídicos a partir de dos hechos distintos, sin que haya consunción, porque la efectiva lesión de la vida, de la libertad sexual, del patrimonio, etc. no absorbe el desvalor del ataque a la libertad de obrar del sujeto pasivo. Puede crear alguna vacilación la hipótesis en que se amenaza con causar un mal que constituya un delito contra la libertad, pues ahí podría aducirse que la amenaza representa un peligro, mientras el delito cometido en repuesta al incumplimiento de la condición supone la efectiva lesión del mismo bien, una progresión, en definitiva en el ataque a ésta. Sin embargo, semejante argumentación presenta dos inconvenientes de calado: no tiene en cuenta que el sujeto pasivo del delito cometido como represalia puede ser uno distinto del de el delito de amenazas; y que el delito contra la libertad con el que se amenaza no tiene porqué consistir en otra amenaza —si hubiera varias amenazas, separadas en el tiempo, contra el mismo sujeto pasivo y con el fin de que satisficiera idéntica condición, cabría dudar en si calificar los hechos como un único delito de amenazas condicionales o como un delito continuado; inclinándonos, en principio, por esta segunda solución—, ni siquiera en unas coacciones. Antes al contrario, de entre los delitos contra la libertad del título VI, lo normal sería que se conminase con el de detenciones ilegales, cuyo bien jurídico, huelga decirlo, no coincide con el de las amenazas.

4. LA FALTA DE AMENAZAS

Por último, debe tenerse en cuenta que en el Código penal, además de las diferentes modalidades delictivas, está prevista una falta de amenazas en el apartado 2º del artículo 620

«Serán castigados con la pena de multa de diez a veinte días:

...

«2º Los que causen a otro una amenaza, coacción, injuria o vejación de carácter leve».

Tiene esta falta naturaleza residual, es uno de los llamados tipos de recogida en el que tiene cabida la amenaza carente de suficiente entidad para constituir delito, por lo que queda relegada a acoger las conminaciones de males no constitutivos de delito ni condicionales. De ahí que la demarcación entre el delito y la falta sea de orden cuantitativo, y así lo ha entendido la jurisprudencia sentada sobre el particular, al decir que la diferencia entre uno y otra radica en la menor gravedad de los males anunciados, y en la menor seriedad y credibilidad de las expresiones conminatorias, aunque en ambos, delitos y faltas, tendrá que concurrir el elemento dinámico de la comunicación de gestos o expresiones susceptibles de causar una cierta intimidación en el ánimo del sujeto pasivo, dando a entender la realización futura, más o menos inmediata, de un mal (SSTS de 20 de enero de 1986, 13 de febrero de 1989, 30 de marzo de 1989, 23 de mayo de 1989, 3 de julio de 1989, 11 de septiembre de 1989, 23 de abril de 1990, 18 de noviembre de 1994, 25 de enero, 13 de mayo de 1995, 26 de febrero de 1999).

Capítulo IV
DELITOS CONTRA LA LIBERTAD E INDEMNIDAD SEXUALES

1. PLANTEAMIENTO

De las conductas tipificadas en el título VIII del Código penal, hay varias que pueden ser realizadas total o parcialmente por medio de las transmisiones electrónicas. Pero, aquí vamos a ocuparnos, con algún detenimiento, sólo de la consistente en la difusión de material pornográfico elaborado con menores o con incapaces. Las restantes conductas encuadradas en los delitos contra la libertad e indemnidad sexuales o son de impensable conexión ejecutiva con la informática —piénsese en la violación o en los abusos sexuales, con la excepción quizá del cometido con engaño, o de supuestos harto improbables de intimidación a través de la red—, o solamente la admiten de forma tangencial, sin la suficiente relevancia como para merecer una atención individualizada. Respecto de cada uno de estos segundos delitos basta con apuntar las siguientes consideraciones:

a) Por lo que hace al delito de acoso sexual (artículo 184 del Código penal), cabe la posibilidad de que alguno de sus elementos sea efectuado a través de la red. En efecto, si el acoso sexual básico se integra:

– por la solicitud de favores sexuales hecha a una persona,
– con la que media una relación laboral, docente o de prestación de servicios, continuada o habitual,
– provocando así a dicha persona una situación objetiva y gravemente intimidatoria, hostil o humillante;

y el agravado, por la concurrencia, junto a los elementos anteriores,

– del prevalimiento de una situación de superioridad laboral, docente o jerárquica, o
– del anuncio expreso o tácito de causar a la víctima un mal relacionado con sus legítimas expectativas en el ámbito de la relación mencionada;

es concebible —por más que pueda resultar arriesgado para el agente— la ejecución de alguno de los componentes enunciados mediante la informática (la solicitud de los favores sexuales o el anuncio de causar el mal, por ejemplo), que también puede servir para transmitir mensajes o imágenes al sujeto pasivo, que contribuyan a la creación para éste del clima hostil, humillante o intimidatorio requerido en el tipo.

Consiguientemente, la mera petición de favores sexuales hecha, v. gr., por correo electrónico a una persona específica —mucho menos si no está dirigida a nadie en particular—, con la que no se mantiene una relación de las indicadas, con las notas de continuidad o de habitualidad, no puede integrar el delito de acoso, por más que vaya acompañada de alguna suerte de amenaza que puede dar lugar a la apreciación de un delito del artículo 169, en la modalidad cualificada del párrafo segundo del número 1°.

b) La ejecución de actos de exhibición obscena es susceptible de ser llevado a cabo vía *Internet*, sin mayores problemas; mas, al constituir delito únicamente cuando se verifican de propósito ante menores o ante incapaces, resultan de imposible inclusión en el artículo 185, tanto si se difunden indiscriminadamente y algún menor los ve, como si se envían por correo electrónico a un determinado menor, porque en ninguna de las dos hipótesis el acto obsceno tiene lugar *ante* el sujeto pasivo; aunque pudiera tener cabida en la figura del artículo 186.

c) Precisamente esta figura puede ser traída a colación para encajar en ella los supuestos de venta, difusión o exhibición de material pornográfico por la red, a menores o a incapaces, siempre que cualquiera de las conductas reseñadas se realice de modo directo, como exige el tipo; esto es: dirigida a menores concretos o concretables, con ánimo lascivo de involucrarlos en un clima de sexualidad y no por mero afán crematístico.

d) También, pueden tener cierta virtualidad los procedimientos informáticos para favorecer la prostitución de menores o de incapaces, siempre que se usen intencionadamente para inducir a estas personas al ejercicio de la mencionada actividad, o para promoverla o fomentarla, captando clientes, etc.

e) Por último, cabe imaginar algún ejemplo rebuscado de utilización de las transmisiones electrónicas para hacer participar a un menor o a un incapaz en un comportamiento de naturaleza sexual, que sólo podría ser subsumido en el artículo 189.3, si se hace una interpretación muy extensiva de este precepto.

2. *DIFUSIÓN DE PORNOGRAFÍA INFANTIL A TRAVÉS DE LA RED*

Hace unos años, vigente ya el Código penal de 1995, los medios de comunicación dieron cuenta de que unos jóvenes habían ofertado a través de *Internet* material pornográfico protagonizado por menores de edad. Entonces se estimó que tales hechos no eran perseguibles, por cuanto en el artículo 189, en su anterior versión, se castigaba sólo la utilización de menores para producir aquella clase de material y no el hecho de traficar con éste. La atipicidad de la conducta indicada —en realidad no se agotaron las posibilidades para dar con algún precepto que la reprimiera— causó cierto revuelo y, a buen seguro, contribuyó, junto con otros casos más recientes, a que el legislador, en la ley orgánica 11/1999, modificara el referido artículo 189, que ha quedado así en sus dos primeros párrafos:

> Artículo 189. 1. *Será castigado con la pena de prisión de uno a tres años:*
>
> *a) El que utilizare a menores de edad o a incapaces con fines o en espectáculos exhibicionistas o pornográficos, tanto públicos como privados, o para elaborar cualquier clase de material pornográfico, o financiare cualquiera de estas actividades.*
>
> *b) El que produjere, vendiera, distribuyere, exhibiere o facilitare la producción, venta, difusión o exhibición por cualquier medio de material pornográfico en cuya elaboración hayan sido utilizados menores de edad o incapaces, aunque el material tuviere su origen en el extranjero o fuere desconocido.*
>
> *A quien poseyera dicho material para la realización de cualquiera de estas conductas se le impondrá la pena en su mitad inferior.*

Y no sería de extrañar que en breve hubiera más modificaciones en consonancia con no pocas resoluciones de instancias internacionales que se han ido sucediendo desde, por citar una, la acción común adoptada por el Consejo de la Unión Europea de 29 de noviembre de 1996, renovada en diciembre del 2000, por la que los Estados miembros se comprometieron a revisar sus respectivas normativas nacionales y a tipificar penalmente la explotación sexual de menores en general, incluida la pornográfica, con particular mención del uso de *Internet*. Sirvan como ejemplo, la resolución sobre contenidos ilícitos y nocivos en *Internet* del Parlamento europeo, de 24 de abril de 1997; la recomendación del Consejo de la Unión Europea, de 24 de septiembre de 1998; la decisión núm. del Parlamento europeo y del Consejo de 25 de enero de 1999, sobre la lucha contra los contenidos ilícitos en la red; las diecinueve enmiendas al proyecto de acción común aprobadas por el Parlamento europeo, el 15 de abril de 1999; la resolución del Parlamento europeo, de 30 de marzo del 2000, sobre el llamado turismo sexual, con el que se asocia la pornografía infantil; la decisión del Consejo de la Unión Europea, de 29 de mayo del 2000, dirigida a prevenir y combatir el abuso sexual de menores, en especial, el consistente en la elaboración, posesión y difusión de pornografía infantil por *Internet*; el protocolo facultativo de la Asamblea General de las Naciones Unidas, sobre los derechos del niño relativos a la venta de niños, la prostitución infantil y la utilización de niños en la pornografía, de 25 de mayo del 2000, en cuyo artículo 2.c) se entiende por utilización de niños en la pornografía, toda representación, por cualquier medio, de un niño dedicado a actividades sexuales explícitas, reales o simuladas, o toda representación de las partes genitales de un niño con fines primordialmente sexuales (en el citado protocolo se alude expresamente a las conclusiones de la Conferencia internacional de lucha contra la pornografía infantil en *Internet*, celebrada en Viena en 1999; con anterioridad apareció el informe de la relatora especial de Naciones Unidas sobre la venta de niños, la prostitución infantil y la utilización de niños en la pornografía, de 13 de enero de 1998, y poco después su informe sobre idénticos temas, de 14 de enero del 2000); la resolución de la Asamblea General de las Naciones Unidas, de 26 de junio del 2000, sobre prostitución y pornografía infantil; comunicación de la Comisión al Consejo, al Parlamento Europeo, de 26 de enero del 2001; las sesenta y cuatro medidas propuestas por la Unión Europea para el 2002, entre las que se incluye la de desarrollar un ataque coordinado contra el cibercrimen.

Es de destacar que en la lucha contra la explotación de menores con fines sexuales también participan, junto a organismos internacionales, fuerzas policiales, administraciones de justicia, etc., entidades privadas y hasta *hackers* que realizan campañas en solitario y por su cuenta, como la introducción de virus en la red en su afán por atajar la pornografía infantil distribuida por conducto de aquélla.

Es el caso de la chilena Katiuska Santos que dice haber inventado, tras siete meses de trabajo, un virus que aloja en la red de *Internet*. El virus Katiuska en su funcionamiento emplea una base de datos que contiene los números IP de los más conocidos sitios dedicados a la pornografía infantil, así como los IP de *chats* e *IRCs* que la promocionan. Según la autora, la base está alojada en un servidor secreto y seguro en Inglaterra.

Katiuska coloca una marca en los discos duros en formato de clave encriptada que luego es leído desde *Internet* en el instante en que una máquina accede a tales *Chats* e *IRCs* incorporados en la base. Luego de un cierto número de visitas el virus se activa comparando la clave encriptada colocada con anterioridad en el disco duro de la víctima con la de la base. La víctima (sic) puede notar su presencia en el mismo momento de la infección. El virus actúa sólo mientras la víctima está conectada al sitio porno, *Chat* o IRCs donde existe promoción de pornografía infantil.

Según su creadora, no hay forma de detener su programación ni efectos dado que el algoritmo no puede ser desentrañado y permanece «flotando» en la red. Sus efectos son imprevisibles, pues borra tanto los archivos ejecutables, como textos y documentos, planillas de cálculo y, en definitiva, todo lo que esté almacenado en los discos duros de las víctimas. (Tomado de Volver, febrero, 3).

No nos atrevemos a pronunciarnos sobre la eficacia del sistema ideado en orden a combatir la pornografía realizada con menores de edad, del que hemos dado cuenta, pero sí a manifestar que, de ser cierta la noticia reproducida, la creación e introducción del referido virus en la red entrañaría la comisión de varios miles de delitos, tantos como «datos, programas o documentos electrónicos ajenos contenidos en redes, soportes o sistemas informáticos», destruya, altere, inutilice o de cualquier otro modo dañe, si nos atenemos a lo establecido en el artículo 264.2, uno por usuario y equipo dañado (con independencia de que pueda aplicarse la regla establecida en el artículo 74). Ello sin contar con que puede perjudicar por igual los equipos del pedófilo incontinente, y los del usuario de *Internet* que accede a un sitio por accidente o a los de las policías especializadas en la detección y persecución de aquella clase de pornografía. Al tiempo que de manera directa no ocasiona un quebranto directo a los distribuidores del material pornográfico.

No obstante, desde un planteamiento realista, debe aceptarse como casi inevitable que la producción de filmaciones pornográficas de menores de edad —algunas de extremada brutalidad, en las que se llega a torturar y hasta matar a una persona—, seguirán produciéndose y moviendo ingentes cantidades de dinero —las cifras que con más o menos fundamento se manejan son impactantes— ante la fuerte demanda que hay de las mismas.

a) Bien jurídico

Como puede apreciarse, con la nueva redacción del artículo 189, se ha procurado extender el círculo de la tutela penal para menores e incapaces frente a quienes participan en alguna actividad relacionada con la explotación sexual de las imágenes de aquéllos. En este sentido, es clara la intención del legislador de proteger penalmente varios bienes jurídicos, cuya titularidad corresponde a menores de edad y a incapaces, cuales son *los adecuados procesos de formación y socialización* de unos y otros, y *su intimidad*; valores sobre los que no se reconoce a los sujetos pasivos una plena y total disponibilidad (como lo acredita en punto a la intimidad el artículo 4 de la ley orgánica 1/1996, sobre protección jurídica del menor; y en punto a su llamada «indemnidad», el mismo hecho de que se pene a quien se sirve de un menor para elaborar material pornográfico, aun contando con el consentimiento de dicho menor).

b) Hechos típicos

Son varios los descritos en el artículo 189, pero más que a examinar cada uno de ellos de forma singularizada, nos centraremos en los que pueden ser realizadas con métodos informáticos, en particular en los consistentes en vender, distribuir, exhibir material pornográfico elaborado con menores o con incapaces. Estos, menores e incapaces, pueden ser utilizados con fines o en espectáculos exhibicionistas o pornográficos, retransmitidos «en directo» por la red, sin que propiamente se llegue a confeccionar material pornográfico —aunque puede confeccionarlo el usuario que tiene acceso al espectáculo así ofrecido y no se limita a verlo, sino que lo graba y a continuación lo difunde, y que, al no tener trato directo con los menores o los incapaces, en rigor no los utiliza, pudiendo ser responsabilizado sólo a través del apartado b)—, en cuyo caso procedería aplicar el artículo 189.1.a); pero, no pareciendo ser este un supuesto de frecuente comisión, nos centraremos más bien en el consistente en ofrecer, difundir y vender dicho material por el citado procedimiento, denunciado repetidamente en los medios de comunicación. Por ello, nos atendremos, al tipo previsto en el artículo 189.1.b).

a') Sujeto activo

En el artículo 189.1.b), la conducta está referida a un sujeto activo indiferenciado. Y desde luego cualquiera puede, por ejemplo, fotografiar o filmar con miras eróticas a menores o a incapaces para su disfrute privado (vid., v.gr., la SAP de Asturias de 24 de junio de 1999), o con vistas a su ulterior exhibición (vid. la STS de 24 de octubre del 2000, a propósito de una madre que hizo varias fotografías a su hija de siete años, desnuda, con aquella finalidad) o difundir u ofrecer este género; sin embargo, tratándose de producciones en las que hay una distribución del trabajo, autor podrá ser únicamente quien esté en condiciones de decidir la intervención del menor o del incapaz, lo que no estará al alcance de quien se limita a iluminar la escena o a controlar la grabación, los cuales, a lo sumo, podrán ser considerados cómplices.

b') Conducta típica

Son varias las cuestiones que merecen ser tratadas en relación con la conducta típica, articulada sobre la realización de alguno de los comportamientos enunciados, todos los cuales tienen por objeto el material pornográfico en cuya elaboración hayan intervenido menores o incapaces.

En primer lugar, ha de delimitarse la noción de material pornográfico. Para lo cual conviene recordar el concepto que de pornografía ha ido perfilando la Corte Suprema de los Estados Unidos, dada la influencia que ha ejercido en sectores destacados de la doctrina y también en la jurisprudencia españolas. Para el Tribunal Supremo norteamericano lo que caracteriza a una obra como pornográfica es: a) que tomada en su conjunto aparezca dominada por un interés libidinoso; b) que sea potencialmente ofensiva porque se desvíe de los estándares contemporáneos de la comunidad, relativos a la representación de materias sexuales; c) que se halle totalmente desprovista de valor literario, artístico, científico o político (vid. Vives Antón; Cuerda Arnau). En este mismo sentido, nuestro Tribunal Supremo ha tildado de pornográfica una obra cuando en una consideración global o conjunta la pornografía se encuentra presente por doquier, con ausencia absoluta de valores literarios, artísticos o de información seria y responsable; y ha matizado que «el concepto de pornografía está en función de las costumbres y del pensamiento social, distinto en cada época»; siendo especialmente severo en relación con su facilitación a menores (SSTS de 22 de marzo de 1983, 9 de diciembre de 1985, 26 de octubre de 1986, 5 de febrero de 1991, 24 de marzo de 1997, 10 de octubre del 2000).

Y, en efecto, parece razonable sostener que los dos ingredientes que convierten un producto en pornográfico son su grosera obscenidad y su total carencia de valor artístico, literario, pedagógico, científico. En cambio, el segundo de los caracteres señalados por el Tribunal Supremo norteamericano, ha de ser contemplado con mucha cautela, pues en él subyace un componente moralizante, siempre indeseable en Derecho penal y que, además, puede ser interpretado para discriminar comportamientos minoritarios. Y todavía ha de añadirse que ni siquiera aquellos rasgos de mejor apariencia están libres de tachas, por ser portadores de alguna imprecisión, debida al relativismo que impregna la idea de obscenidad y al subjetivismo inherente a la calificación de una obra como artística, y la incuestionable base cultural requerida para ello (el pensamiento de Ern Gombrich es muy ilustrativo al respecto), variable de una a otra civilización. Además, trayendo a colación la ancestral y tan traída y llevada tensión entre fondo y forma, o entre continente y contenido, no es difícil imaginar películas que cualquiera tildaría de pornográficas, por no tener otras miras que la refocilación en actos de la sexualidad más descarnada que por estar excelentemente dirigidas, interpretadas, fotografiadas y montadas, por tener un ritmo adecuado, etc., no están desprovistas por completo de valor artístico, con lo que la adjetivación de las mismas como pornográficas resulta cuestionable desde el punto de vista de la jurisprudencia reseñada. Y entonces puede suscitarse, una vez más, la pretendida distinción entre pornografía y erotismo, que el propio Tribunal Supremo ha confesado ser muy difícil de establecer, por ser ambos conceptos de naturaleza muy relativa y dependiente y sometidas a una interpretación personal (STS de 10 de abril de 1997). Adviértase, además, que se puede acabar juzgando pornográfico el acto sexual o unas caricias entre dos personas por el mero hecho de haberlas impresionado en una cinta o en un carrete de fotos. De tal manera que una relación sexual tenida en la intimidad por dos personas —adultas o menores de edad—, si resulta subrepticiamente captada por un tercero, que luego la reproduce en múltiples copias y la distribuye, puede dar lugar a la creación de un material reputado pornográfico que, de ser difundido entre menores, podría propiciar la aplicación del artículo 186.

A pesar de todo, es preferible que el legislador haya recurrido al adjetivo comentado y que no se haya conformado con una mera referencia al carácter sexual de la obra, con el consiguiente aumento de los hechos inscribibles en el tipo.

Por otra parte, como en el artículo 189 se usa una expresión tan amplia, como es la de material pornográfico, quedan abarcados en aquél cualesquiera artículos que reúnan las características antes apuntadas, sea cual sea la forma que adopten: fotografía, revista gráfica, cinta de video, CD-ROM, DVD,..., que son, además, las que pueden ser difundidas por *Internet*. Otros artilugios, propios de la parafernalia protésica, y cuanto producto se encuentra a la venta en establecimientos al uso, que en algún caso pueden resultar incluidos en el material pornográfico no acaba de verse cómo pueden ser elaborados con menores de edad y, ulteriormente, propagados por la red. Cabría pensar, si acaso, en grabaciones de sólo sonido, en las que unos menores narraran o interpretaran con sus voces historias de gran procacidad.

Y ese material ha de haber sido elaborado con menores o con incapaces. Lo que supone que éstos, los menores o los incapaces, han de desempeñar un papel significativo en la cinta, fotografía, ...; no bastando su aparición ocasional en alguna escena o secuencia sin inequívocas implicaciones sexuales. Es decir, el menor o el incapaz han de aparecer en la filmación, o en las fotografías adoptando actitudes o realizando acciones lascivas, despojados de sus ropas o no, pues esa es la única forma en que puede afirmarse que participan en una acción con virtualidad para que se verifique una alteración penalmente relevante en sus respectivos procesos de formación y socialización o una intromisión asimismo relevante en su intimidad. Consiguientemente, el intercalado de imágenes de menores entre otras explícitamente eróticas no convierte sin más en pornografía infantil el producto así pergeñado.

En cuanto a las conductas castigadas, basta señalar que no es problemática su definición, gracias a que los verbos empleados por el legislador para describirlas son de clara significación: producir, vender, exhibir, distribuir, facilitar, así como poseer material pornográfico para la realización de cualquiera de aquellas. Donde sí pueden surgir serias dificultades es a la hora de concretar si el reiterado material producido, difundido, etc., está realizado con menores o con incapaces, pues puede ocurrir que lo haya sido por adultos convenientemente maquillados para darles la apariencia de menores de edad o que se inserten filmaciones de un menor o la imagen de su rostro en una cinta pornográfica, en cuya realización no han participado, en cuyo caso no podría hablarse en rigor de material típico conforme al artículo 189. Como tampoco debería calificarse como tal el elaborado con personas que, según la legislación de su país de origen, han alcanzado la mayoría de edad aunque no la tengan conforme a la nuestra. Y todavía menos el realizado por medio de un ordenador, sin la intervención real de un menor.

Asimismo pueden surgir dificultades para demostrar la incapacidad de las personas que han participado en una película si no son conocidas; y, en general, tanto ésta como la minoría de edad cuando ni la una ni la otra sean evidentes y el material aprehendido sea de procedencia extranjera, los intérpretes sean locales, y no se cuente con el auxilio de las autoridades correspondientes.

También la probanza de que se posee material pornográfico para realizar alguna de las conductas del párrafo primero del apartado b), se enfrenta a obstáculos nada fáciles de salvar —bien entendido que el castigo planea sobre la tenencia de material pornográfico, ya elaborado por tanto, y no sobre la tenencia de material de filmación, grabación, etc., para elaborarlo—. Piénsese solamente en estos dos supuestos: el de una persona aficionada al coleccionismo pedófilo, poseedora de una enorme cantidad de cintas de vídeo de esa índole; y el de otra que tiene una sola copia de una sola cinta y se dedica a reproducirla un incontable número de veces y a hacerla llegar a innumerables usuarios de *Internet*. En el primer caso no se da el elemento típico de poseer para vender, distribuir, etc., y sin embargo, las apariencias indican los contrario; en el segundo, sí pese a que el sujeto posee una única copia (Morales Prats/ García Albero).

De momento no está castigada la tenencia de material pornográfico elaborado con menores, y tampoco, en consecuencia, la contemplación de imágenes de dicho jaez, aunque no faltan voces que exigen su criminalización —en esta dirección apuntan algunas de las decisiones de la Unión Europea reseñadas más arriba—, pensando que la represión penal hará disminuir la demanda y, en el fondo quizá, que si nadie solicita aquel material nadie lo producirá y ningún niño será molestado. Pensamiento tan bien intencionado como ingenuo, tanto como el de penalizar al consumidor de drogas para así acabar con el tráfico de las mismas, que atribuye al Derecho penal una eficacia que ningún estudioso le reconoce y desvía la atención de los lentos, costosísimos y revolucionarios remedios que la explotación de los menores tiene, por hallarse conectada irremediablemente al complejo e intolerable fenómeno de la desigual distribución de la riqueza, entre los países y entre las personas, a la miseria, a la pervivencia de formas de gobierno tiránicas, a la explotación de muchos por unos pocos; y por estar vinculada a determinados trastornos psíquicos, particularmente de la población masculina, para los que, por ahora, no hay tratamiento efectivo y a la par respetuoso con la dignidad personal.

Pero volviendo a la tenencia de material pornográfico elaborado con menores de edad o con incapaces. Si un usuario ve en

Internet una película pornográfica elaborada con menores y la graba para incorporarla a su colección privada, sin otra finalidad que su propio disfrute, no incurre en responsabilidad, porque personalmente no ha utilizado a los referidos menores. Ahora bien, si procediera a comercializar, a distribuir, a difundir, en definitiva, la grabación, podría ser perseguido con arreglo al apartado b) del artículo 189.1.

c') Aspecto subjetivo

Todas las modalidades previstas en el artículo 189.1.b) son dolosas: el sujeto ha de conocer la naturaleza del material y ha de querer realizarlo, difundirlo o poseerlo con dichos fines, siendo indiferente que lo haga con ánimo lúbrico o de lucro.

d') Especiales formas de aparición del delito

Iter criminis

La consumación del delito, por lo que hace a la variante que estamos examinando, se produce tan pronto como una persona consigue introducir en la red material pornográfico elaborado con menores o con incapaces, de forma que quede al alcance de cualquier usuario. Si antes de que ello ocurra, bien porque el sujeto es sorprendido y se le impide culminar su propósito, bien porque una vez lo ha conseguido se logra retirar el material sin que un sólo usuario haya tenido posibilidad de examinarlo, estaremos ante sendas tentativas, inacabada y acabada, respectivamente.

Autoría y participación

Con carácter general, *autor* en las conductas de producir, vender, distribuir o exhibir debiera ser considerado quien tiene capacidad para decidir cualquiera de ellas; esto es, quien las impulsa o es beneficiario principal de los resultados obtenidos; por las de facilitar las anteriores solamente debiera responder el que presta una colaboración destacada, quien despliega una actividad inscribible en la *cooperación necesaria* (artículo 28.b). Otros comportamientos, siempre que tengan entidad bastante, habrán de ser relegados a la *complicidad*.

Y en concreto, por lo que hace a la difusión a través de *Internet* de material pornográfico elaborado con menores, debe tenerse en cuenta la intervención de cuatro personajes: el proveedor, el suministrador, el administrador y el usuario.

El usuario que se limita a acceder a un sitio en el que hay almacenada pornografía infantil, a fin de contemplarla, no comete delito alguno, incluso si, como antes dijimos, la registra para poder verla en privado. En cambio, si más tarde difunde el material registrado puede incurrir en el delito del párrafo b). Más problemática resulta la solución que debe acogerse cuando dicho usuario invita a un amigo a ver las grabaciones o las intercambia por otras, aunque nos inclinamos a favor de la impunidad, pues la distribución, la exhibición y la difusión de las que se habla en el tipo, parece que son aquellas que comportan el poner en circulación, a disposición de un número significativo de aficionados, el material pornográfico, y no el facilitarlo a uno sólo.

Por lo general, las veces de proveedor y suministrador las asume una misma empresa, y por lo general también, tienen las dedicadas a estos menesteres escasas posibilidades de controlar la información y el material que se pone en movimiento por la red, porque son millones de personas las que tienen acceso a *Internet*. Así las cosas, es muy improbable su responsabilización criminal por el uso que alguien pueda hacer de los sitios que proporcionan. Solamente, cuando les conste que se está utilizando una determinada página, un determinado sitio para lanzar por la red productos de pornografía infantil, será viable pensar en su criminalización si no hacen nada al respecto.

En este sentido, en la decisión del Consejo de la Unión Europea de 29 de mayo del 2000 se propone el sometimiento a estudio de nuevas obligaciones para los proveedores de los servicios de *Internet*, entre ellas la de informar a las autoridades de la difusión de pornografía hecha con menores y la de retirarla y ponerla a disposición de aquéllas. Y en la directiva 2000/31/CE del Parlamento Europeo y del Consejo sobre comercio electrónico de la Comunidad Europea se advierte de que no puede considerarse responsable de la información transmitida, al administrador del servicio que desconoce la actividad ilícita que otro desarrolla, y que al conocerla procede a retirarla o a impedir el acceso al sitio en que se contiene.

Dicho lo cual, claramente se deduce que quien incurrirá en el delito del artículo 189 del Código penal será el administrador de los contenidos, encargado de introducir la información en la página *web*, siempre que, en efecto, la haya introducido, pues no es impensable que un tercero logre entrar en la referida página y coloque en ella el material pornográfico realizado con menores; en cuyo caso, será a este tercero a quien habrá de exigírsele responsabilidad.

Concursos

El delito del artículo 189.1 puede aparecer en *concurso* con unas agresiones o unos abusos sexuales o con el nuevo delito que ha venido a recuperar en cierta medida la antigua corrupción de menores (artículo 189.3), y con un delito contra la intimidad (si se sitúan unas vídeo-cámaras en un espacio en el que hacen vida unos menores, se graban sus imágenes y se difunden por *Internet)*. Pero, son tan complejos que merecen una consideración algo minuciosa e individualizada. Veamos algunos de los que pueden plantearse:

– la utilización de un menor para la elaboración de material pornográfico, con su consentimiento, determina la aplicación del artículo 189.1; pero si el referido menor tiene menos de trece años y realiza el coito con un adulto ante una cámara que lo registra, surge un conflicto de normas con el delito de abusos sexuales cualificados del artículo 182.1, que es de aplicación preferente, de acuerdo con la regla 4ª del artículo 8, al no haber una relación de género a especie, ni de subsidiariedad ni de consunción entre los preceptos; mas, si el adulto propaga la filmación por *Internet* cabría apreciar un concurso real de infracciones entre el abuso sexual y la difusión de material pornográfico — considerando pornográfica la referida grabación—;

– la filmación de un menor o de un incapaz, sin ropas o ejecutando tocamientos íntimos, o realizando una acción sexual con otros menores, sin ellos saberlo, supone la comisión de un delito del artículo 197; y la difusión de la citada filmación, la de cualificación del número 3 del referido artículo, más la agravación del número 5; tampoco aquí hay propiamente una utilización del menor o del incapaz, típica con arreglo al artículo 189, a lo sumo podría pensarse en un delito del apartado b), pero, para ello habría que tachar la reiterada filmación de pornográfica, algo que no siempre resultará fácil; por lo cual, nos parece más razonable adoptar la solución propuesta;

– si se obliga, por medio de violencia o de intimidación, a un menor a realizar actos lúbricos, sólo o en compañía de otras personas, habrá un delito de agresión sexual; y si tales actos se registran en una cinta de vídeo, por ejemplo, para su posterior difusión, surgirá un concurso de delitos, real aunque en determinadas circunstancias puede ser medial;

– en los casos en que se hace objeto de malos tratos a un menor, e incluso se le causa la muerte, al tiempo que se filma su calvario, habrá un concurso de delitos entre las correspondientes lesiones o el asesinato, dado el ensañamiento consubstancial a tales productos, y el delito de elaboración de material pornográfico; siempre que la película rodada tenga connotaciones sexuales, pues de no tenerlas más bien se estará ante unas lesiones, en las que habría de apreciarse la agravante de aumentar deliberada e inhumanamente el sufrimiento de la víctima, o ante un asesinato, cabiendo sugerir, algo forzadamente, la estimación de la circunstancia agravante 4ª el artículo 22, en atención, pudiera aducirse, a la motivación discriminatoria por la que se cometen los hechos, cual es la edad y el sexo de la víctima; o mejor, la existencia de un concurso ideal con el delito penado en el artículo 173, puesto que, sin duda, se somete a una persona a un trato degradante, cuando se la atormenta, física y psicológicamente, y se le causa la muerte, mientras toda la escena queda impresa en una película;

– finalmente, nos centraremos en el que puede plantearse cuando una misma persona utiliza a menores o a incapaces para elaborar material pornográfico o produce esa clase de material, y después lo vende, exhibe o difunde. En principio, parece que se trata de delitos independientes, pues se encuentran en tipos distintos la utilización de menores o de incapaces para elaborar material pornográfico y la difusión de éste; dato del que es viable deducir razonablemente la compatibilidad de ambos, de tal manera que pueden serle aplicados a quien filma a unos menores realizando actos lascivos y luego los distribuye, por ejemplo, en concurso real o medial. Sin embargo, como por la forma alternativa de estar emparejadas las conductas típicas en el apartado b) del artículo 189.1, la verificación de varias por un mismo sujeto no comporta la comisión por él de otros tantos delitos, sino la de uno sólo; y como entre aquéllas también figura la de producir, que en poco se diferencia de la del apartado a), cuya puesta en práctica seguida de la difusión no da lugar a dos infracciones, nos parece que ha de concluirse sosteniendo, con carácter general, la existencia de un único delito cuando se produce o elabora material pornográfico con menores o con incapaces, y con posterioridad se difunde, resultando este esparcimiento un acto copenado (y por ende, impune independientemente).

Capítulo V
DELITOS CONTRA EL HONOR

Artículo 205: *«Es calumnia la imputación de un delito hecha con conocimiento de su falsedad o temerario desprecio por la verdad»*

Artículo 208: *«Es injuria la acción o la expresión que lesionan la dignidad de otra persona, menoscabando su fama o atentando contra su propia estimación.*

Solamente serán constitutivas de delito las injurias que, por su naturaleza, efectos y circunstancias, sean tenidas en el concepto público por graves.

Las injurias que consistan en la imputación de hechos no se consideraran graves, salvo cuando se hayan llevado a cabo con conocimiento de su falsedad o consciente desprecio hacia la verdad.»

La pena varía según que la calumnia o la injuria se propaguen o no con publicidad.

Artículo 211: *«La calumnia y la injuria se reputarán hechas con publicidad cuando se propaguen por medio de la imprenta, la radiodifusión o por cualquier otro medio de eficacia semejante.»*

1. CONSIDERACIÓN PREVIA

La relación entre las transmisiones electrónicas y los delitos contra el honor se contrae, huelga decirlo, a la posibilidad de utilizar aquéllas para calumniar o injuriar a alguien, sea de manera directa y personal, por medio de un *e-mail* dirigido al sujeto pasivo, sea genéricamente, lanzando el ataque contra el honor de éste vía *Internet*, de forma que las imputaciones hechas puedan ser conocidas por cualquier usuario de la red, mediante la lectura de un mensaje, de una noticia, comentario o editorial en un periódico o en una revista editada en la red, etc.

2. BIEN JURÍDICO

La mayor dificultad que se suscita en este apartado no radica en determinar cuál sea el bien jurídico protegido en los delitos de calumnia e injurias, sino en precisar su contenido. Pues, en efecto, el bien jurídico claramente es el honor —no sólo porque se mencione en la rúbrica del título XI—, pero definirlo y fijar sus componentes no es tarea sencilla, como lo acreditan las muy variadas nociones que se han manejado al respecto desde enfoques dispares —psicológicos, sociológicos, morales,...—.

Para abordar la concreción del significado del honor nada mejor que partir de la evidencia de su tutela penal y de ahí deducir otra evidencia: si se considera el honor como un bien jurídico protegido, jurídicamente es como debe ser concebido. Y en este sentido, la esencia del honor no puede cifrarse sino en la dignidad de la persona, como sujeto de derecho, proclamada en el artículo 10.1 de la Constitución (Vives Antón). Dignidad que, a su vez, se traduce en la no instrumentalización de la persona, en que ésta sea tratada como sujeto, no como objeto, de acuerdo con la idea kantiana; y a la que se alude expresamente en el artículo 208 del texto punitivo.

3. DELITO DE CALUMNIA

Elementos del delito de calumnia son: la imputación de un delito (no de una falta), una imputación formulada con suficiente precisión, como para que quede claro que lo que se atribuye es la comisión de un hecho o de unos hechos constitutivos de delito, y no afirmaciones vagas, genéricas e imprecisas, y con absoluta seriedad; que dicha imputación se haga a persona determinada o fácilmente determinable; y que se efectúe con conocimiento de su falsedad o con consciente desprecio hacia la verdad; esto es: con dolo directo —cuando hay constancia plena de que la imputación no se ajusta a la verdad— o con dolo eventual cuando a pesar de saber que muy probablemente sea falsa, se verifica la imputación. De este modo, se subraya en el artículo 205 la importancia de la verdad subjetiva (a la que ya habían aludido Vives Antón y la jurisprudencia, en SSTS de 19 de julio de 1991, 17 de noviembre de 1995, 17 de mayo de 1996, entre otras).

En el delito reside un elemento subjetivo, un «animus injuriandi», que no equivale sólo a deseo de perjudicar el honor ajeno, sino también a conocimiento y aceptación de que las aseveraciones vertidas son ofensivas para dicho bien jurídico, aun cuando la finalidad perseguida sea muy otra (conseguir la popularidad, mantener un elevado índice de audiencia o de lectores, favorecer a un grupo, etc.).

En esta misma línea, en la jurisprudencia se ha insistido en que para la existencia del delito de calumnia no basta con achacar genéricamente a otra persona hechos constitutivos de la infracción penal, sino que es necesario que esa imputación se haga de modo específico, sobre hechos concretos y determinados, aunque sin necesidad de una calificación jurídica (SSTS de 26 de julio de 1993). Y más detalladamente, en sintonía con una buena parte de la doctrina, se ha considerado que el delito de calumnia ostenta los requisitos siguientes:

a) imputación a una persona de un hecho delictivo, lo que equivale a atribuir, achacar o cargar en cuenta de otro una infracción criminal de las más graves y deshonrosas (un delito)...; b) dicha imputación ha de ser falsa, subjetivamente inveraz, con manifiesto desprecio de toda confrontación con la realidad, a sabiendas de su inexactitud; la falsedad de la imputación ha de establecerse fundamentalmente con parámetros subjetivos, atendiendo al criterio hoy imperante de la «actual maetice»...; c) no bastan atribuciones genéricas, vagas o analógicas, sino que han de recaer sobre un hecho inequívoco, concreto y determinado, preciso en su significación y catalogable criminalmente, dirigiéndose la imputación a persona concreta e inconfundible, de indudable identificación, en radical aseveración,... debiendo contener la falsa asignación los elementos requeridos para la definición del delito atribuido, según su descripción típica, aunque sin necesidad de una calificación jurídica por parte del autor; d) dicho delito ha de ser perseguible de oficio, es decir, ha de tratarse de un delito público; y e) ha de precisarse la concurrencia del elemento subjetivo del injusto, consistente en el ánimo de infamar o especial intención de difamar, vituperar o agraviar al destinatario de esta especie delictiva; voluntad de perjudicar el honor de una persona, «animus infamandi»...» (SSTS de 1 de febrero de 1995 y 14 de junio de 1997).

4. DELITO DE INJURIAS

En el artículo 208 se define la injuria, por referencia al bien jurídico, como acción o expresión que lesiona la dignidad de otra persona, y se resalta que solamente constituyen delito las graves. De la regulación de la misma se desprenden tres posibles clasificaciones de las injurias:

a) en atención a su gravedad, las injurias pueden ser graves (constitutivas de delito según el artículo 208) y leves (constitutivas de la falta del artículo 620.2º); siendo decisivo para la adscripción de una injuria a uno u otro grupo el concepto público en que se la tenga;

b) también pueden diferenciarse las injurias según consistan en una acción o una expresión; y a su vez dentro de las consistentes en una expresión se distinguen las que suponen una falsa imputación de hechos y las que encierran juicios de valor;

c) por último, se han de distinguir las injurias hechas con publicidad y las carentes de esta nota.

Es de señalar que tras la entrada en vigor del Código penal de 1995, sujetos pasivos en las calumnias y en las injurias sólo pueden serlo las personas físicas; en las primeras porque son éstas las únicas capaces de cometer un delito —y, por ende, las únicas de las que tiene sentido la imputación de haber cometido uno—; y en las segundas, porque al estar configuradas en torno a la idea de lesión de la dignidad y ser ésta patrimonio privativo de las personas individuales, conforme al artículo 10 CE, mal puede ser sujeto pasivo de unas injurias una persona jurídica.

5. EXCEPTIO VERITATIS

Opera de modo distinto en las calumnias y en las injurias: el acusado de calumnia queda exento de responsabilidad probando el hecho criminal que haya imputado (artículo 297); mientras que el acusado de injuria queda exento de responsabilidad al probar la verdad de sus imputaciones cuando están dirigidas contra funcionarios públicos sobre hechos concernientes al ejercicio de sus cargos o referidos a la comisión de faltas penales o infracciones administrativas (artículo 210).

Aunque de los dos artículos citados parezca desprenderse la necesidad de que sean el calumniador o el injuriador quienes demuestren la veracidad de sus imputaciones, se produce la exclusión de la pena sea cual sea la forma por la que se averigüe.

6. FORMAS DE APARICIÓN DEL DELITO

La consumación de los delitos de calumnia e injuria precisan de la efectiva lesión del honor del sujeto pasivo, razón por la cual no podrán considerarse consumados hasta tanto no trasciendan mínimamente la imputación hecha, propia del primero, o la acción o la expresión atentatorias a la dignidad, características del segundo. De modo que, cuanto menos, tendrán que llegar a conocimiento del ofendido.

La tentativa es conceptualmente posible, aunque su castigo es problemático por la incidencia de la libertad de expresión (Vives Antón).

En punto a la autoría y a la participación ha de tenerse presente el artículo 30 del Código penal, que reza así:

«1. En los delitos y faltas que se cometan utilizando medios o soportes de difusión mecánicos no responderán criminalmente ni los cómplices ni quienes los hubieren favorecido personal o realmente.

«2. Los autores a los que se refiere el artículo 28 responderán de la forma escalonada, excluyente y subsidiaria de acuerdo con el siguiente orden:

«1° Los que realmente hayan redactado el texto o producido el signo de que se trate, y quienes les hayan inducido a realizarlo.

«2° Los directores de la publicación o programa en que se difunda.

«3° Los directores de la empresa editora, emisora o difusora.

«4° Los directores de la empresa grabadora, reproductora o impresora.

«3. Cuando por cualquier motivo distinto de la extinción de la responsabilidad penal, incluso la declaración de rebeldía o la residencia fuera de España, no pueda perseguirse a ninguna de las personas comprendidas en alguno de los números del apartado anterior, se dirigirá el procedimiento contra las mencionadas en el número inmediatamente posterior».

En vista de la responsabilidad escalonada, excluyente y subsidiaria, establecida en el precepto reproducido, y por las particularidades de la utilización de la red, procede hacer varios apuntes:

– si se envía un mensaje injurioso o calumnioso, o unas imágenes de idéntico cariz, vía *e-mail*, del que solamente tiene conocimiento el ofendido, responderá el autor de uno u otras, y quien le haya inducido a hacerlo, si es que ha habido un inductor; y raramente aparecerá la responsabilidad *en cascada*, dado lo inusual de que servidores y proveedores tengan conocimiento del contenido de los mensajes emitidos a través del correo electrónico y control sobre los mismos;

– de la falsa imputación de un delito o de las injurias formuladas a una persona por la red, vertidas por correo electrónico y remitidas a varios usuarios, habrá de responder el emisor de aquellas, y el inductor si lo hubiera, pero no la empresa proveedora o suministradora, por la razón antes indicada;

– cuando la imputación falsa o la injuria estén contenidas en un periódico o en una revista que se edita o reproduce por la red, la responsabilidad en cascada operará respecto de los redactores del texto, de los directores de la publicación, de la empresa editora, etc.;

– si la calumnia o la injuria aparecen en una página *web*, la responsabilidad del proveedor y del suministrador, una vez más, estará condicionada por el conocimiento que tengan de que aquellas se han producido.

En cuanto a los posibles concursos merecen destacarse el que puede surgir entre calumnia e injurias en un mismo caso, que habrá de resolverse con la apreciación del primer delito y el consiguiente desplazamiento del segundo; y el que puede entablarse entre la calumnia y la acusación y la denuncia falsa, para el que la solución proviene de la aplicación del principio de especialidad, toda vez que el artículo 456 es, básicamente, un delito contra el honor, agravado por las especiales circunstancias en que se realiza (Vives Antón).

7. OTRAS CUESTIONES

El reconocimiento por el autor de la falsedad de sus imputaciones comporta una minoración de la pena establecida (artículo 214).

Por otra parte y como es sabido, los delitos de calumnia e injuria son perseguibles sólo en virtud de querella del ofendido, o de denuncia cuando éste es un funcionario público (art. 215.1). Y el culpable de ambas infracciones queda exento de responsabilidad criminal mediante el perdón de la persona ofendida (art. 215.2).

8. *LOS DELITOS CONTRA EL HONOR Y LAS TRANS-MISIONES ELECTRÓNICAS*

Los delitos de calumnias y de injurias pueden ser cometidos con suma facilidad con medios informáticos y telemáticos y alcanzar, merced a las potencialidades de éstos, una enorme propagación, que autoriza a apreciar que se han verificado con publicidad —no, como es lógico, cuando son remitidas por correo electrónico al sujeto pasivo, de manera que exclusivamente él quede enterado—, pues, resulta obvio que son medios de eficacia semejante, sino superior, a la de la imprenta o la radiodifusión en punto a la propagación de aquéllas. Y, en consecuencia, su empleo para calumniar o para injuriar comporta la imposición de las penas establecidas en los artículos 206 y 209.

Por lo demás, la comisión de estos delitos por medios informáticos no presenta mayores peculiaridades, aunque sí las dificultades probatorias consubstanciales a la utilización de los reiterados medios. A la postre, el problema nuclear estribará en la determinación de si el escrito, el mensaje, la noticia, etc. tienen carácter calumnioso o injurioso o no. Valgan como ejemplo las dos resoluciones judiciales que se citan a continuación, en las que el debate se centró en si el contenido de sendos mensajes remitidos por correo electrónico integraban o no un delito y una falta de injurias, inclinándose las Audiencias respectivas en las dos por la absolución, al no reputar injuriosos ni los de uno ni los del otro (SAP de Lérida, de 7 de abril del 2000, y SAP de Valladolid, de 19 de octubre de 1999).

Capítulo VI

FALSEDADES DOCUMENTALES

Las técnicas informáticas pueden ser un instrumento idóneo para cometer falsedades documentales. Por medio de aquéllas puede alterarse un documento registrado en el disco duro de un ordenador o en un disquete o en una casete o en un CD-ROM, o puede introducirse un documento manipulado en un archivo o registro en los que no debiera figurar. En suma, informáticamente puede modificarse un documento en alguna de sus partes o puede crearse uno nuevo, y hacerlos discurrir por el tráfico jurídico. Y las dudas que pudo haber antes de la entrada en vigor del Código penal de 1995, sobre si un programa de ordenador o sobre si determinados productos informáticos merecían la consideración de documentos, han quedado despejadas merced a su artículo 26, según el cual:

«A los efectos de este Código se considera documento todo soporte material que exprese o incorpore datos, hechos, narraciones con eficacia probatoria o cualquier otro tipo de relevancia jurídica».

Innecesario es insistir lo más mínimo en que un soporte electrónico puede alojar un documento a efectos penales, que exprese o incorpore datos, hechos, narraciones con eficacia probatoria o cualquier otro tipo de relevancia jurídica. Como se reconoce en general en no pocas disposiciones extrapenales, tales como la Ley orgánica del poder judicial, en su artículo 230; la Ley del patrimonio histórico, en su artículo 49; la ley del impuesto sobre el valor añadido, en su artículo 88.2; etc.; y han corroborado nuestros tribunales (vid. las SSAP de Cádiz, de 17 de mayo de 1999, Arp. 4310, de Madrid, de 3 de octubre del 2000, El Derecho 52661, en las que se insiste en que los documentos informáticos también son documentos, los documentos electrónicos o lógicos que para su entendimiento o transformación necesitan instrumentos como ordenadores, faxes, etc., pero no la imitación de una tarjeta telefónica, al no incorporar o expresar datos, hechos o narraciones con eficacia probatoria o cualquier otro tipo de relevancia jurídica, y ser un simple elemento de conexión o «llave de acceso». Y, en general, se ha dicho que no sólo debe entenderse por documento el escrito plasmado en papel, sino también todo aquello que se le pueda asimilar, por ejemplo un disquete, un documento de ordenador, un vídeo una película, etc., con un criterio de interacción de las nuevas realidades tecnológicas en el sentido en que la palabra documento figura en algunos diccionarios como cualquier cosa que sirve para ilustrar o comprobar algo (STS, sala 2ª, de 2 de diciembre del 2000, El Derecho, 43872).

1. CONCEPTO Y CLASES DE DOCUMENTOS

a) Concepto

Hasta el Código penal de 1995 no se disponía de una noción legal de documento, válida para todas sus clases, con la excepción de la ofrecida de documento público en los artículos 1216 y siguientes del Código civil y 596 y siguientes y 602 y siguientes de la Ley de enjuiciamiento civil. Ahora, tenemos un concepto amplio, adaptable a las novedades que la tecnología pueda depararnos en el futuro, y capaz de englobar casi cualquier objeto; pero necesitado por lo mismo de delimitaciones precisas. En este orden de cosas, podemos anotar los siguientes requisitos como de imprescindible presencia para que de algo se pueda predicar la calidad de documento, a efectos a penales:

– con carácter general, ha de proceder de una persona, determinada o determinable, que actúa en nombre propio, de un tercero, de una persona jurídica, de un ente público...; sin embargo, cabe pensar en objetos susceptibles de merecer la consideración de documentos a efectos penales, en los que no ha tenido intervención la mano del nombre, como las cintas de la «caja negra» de un avión, la grabación de imágenes hecha por una cámara de televisión instalada por razones de seguridad y no manipulada por alguien...,

– ha de ser portador de un sentido; comprensible, razonable, creíble;

– un sentido con algún tipo de relevancia jurídica; relevancia que, en gran medida, otorga la entrada, o la vocación de entrar, en el tráfico jurídico; hasta el punto de que un escrito que inicialmente no puede ser calificado de documento —una carta amorosa, por ejemplo— puede adqui-

rir dicha calidad por «accesión», al ser incorporado a un documento o a un conjunto de ellos, como un sumario o un expediente administrativo;
– ha de estar plasmado en un soporte duradero.

Sólo cuando concurren estos rasgos puede hablarse en rigor de un documento, que puede cumplir las tres funciones que generalmente se les atribuyen por jurisprudencia y doctrina:

– de *perpetuación*, pues hacen que una declaración, una narración, persistan en el tiempo;
– de *garantía*, pues indica o permite deducir de quién procede; y
– *probatoria* o cualquier otra con efectos jurídicos (vid., entre otras, las SSTS de 31 de mayo de 1997 y 27 de julio de 1998; e «in extenso», García Cantizano; y el estudio de Morales García sobre si un soporte informático puede contener un objeto susceptible de cumplir las tres referidas funciones).

En cambio, no es necesario que el documento refleje un negocio jurídico plenamente válido. De modo que, tanto si se recoge en él un negocio jurídico nulo como uno anulable, puede tener alguna suerte de eficacia en el tráfico jurídico, y merecer, a efectos penales, la consideración de documento. Téngase en cuenta que casi todo documento falsificado es por definición nulo o anulable, y no por ello deja de castigarse a quien lo ha confeccionado o alterado.

b) Clases

En el capítulo dedicado a las falsedades documentales en el Código penal se distinguen cuatro clases de documentos: públicos, oficiales, mercantiles y privados:

– *documento público*, de acuerdo con los artículos 1216 del Código civil y 596 de la Ley de enjuiciamiento civil, es aquél en el que interviene un fedatario público, siempre que actúe como tal y en su condición de tal;
– *documento oficial* es el proveniente de una Administración Pública, dirigido al cumplimiento y desarrollo de sus funciones; y es entendido de manera por demás amplia por nuestra jurisprudencia (cédulas de habitabilidad, certificados de residencia, partes de alta de la seguridad social, permiso de conducir, DNI, recetas de la seguridad

social, etc., han sido considerados documentos oficiales;
SSTS 10 de noviembre de 1993, 17 de febrero de 1997);
– *documento mercantil, stricto sensu,* es el que se ajusta a las
clases y formas previstas en el Código de Comercio; sin
embargo, el Tribunal Supremo hace una lectura extensiva
del mismo, al considerar como tal a todo documento
propio de una sociedad mercantil o de la realidad comercial: libros de contabilidad, letras de cambio, albaranes,
etc.; SSTS de 5 de mayo de 1992, 16 de marzo de 1993, 30
de junio y 27 de julio de 1998); de forma más detallada, se
ha estimado como documentos mercantiles: a) los que
dotados de «nomen iuris», se encuentran registrados en el
Código de Comercio o en leyes especiales, tales como
letras de cambio, cheques, pagarés, acciones y obligaciones emitidas por sociedades de responsabilidad limitada,
libretas de ahorro, pólizas de seguro, etc.; b) todas las
representaciones gráficas del pensamiento, que, con fines
de preconstitución probatoria, plasmen o acrediten la
celebración de contratos o la asunción de obligaciones de
naturaleza mercantil o comercial, aunque carezcan de
denominación conocida en derecho; c) aquellos que se
refieren a la fase de ejecución o de consumación de
contratos u operaciones mercantiles, tales como albaranes
de entrega, facturas o recibos, libros de contabilidad
(SSTS de 8 de noviembre de 1990, 10 de marzo de 1999, 25
de abril del 2000 —Ar. 5190—).
– *documento privado,* del que se habla en el artículo 395, es
el que posee los rasgos propios de todo documento y no
encaja en ninguna de las otras tres categorías de documentos, pero es susceptible de generar algún efecto jurídico
(SSTS de 26 de octubre de 1988, 23 de diciembre de 1992,
6 de octubre de 1993, 20 de marzo del 2000). Su alteración
puede dar lugar a una falsificación de documento oficial
si va unido a un expediente administrativo, por ejemplo
(STS de 10 de mayo de 1999 —Ar. 4971—, entre otras
muchas).

Una vez expuestas muy esquemáticamente las cuatro clases
de documentos a las que están referidas las falsedades de los
artículos 390 y siguientes, es el momento de interrogarse sobre
dónde encajan los documentos informáticos. Y al respecto, ha

de responderse diciendo que en una de las cuatro clases reseñadas, siempre que reúnan los requisitos necesarios para ello; los requisitos generales para merecer la consideración de documento y los específicos de cada una de las categorías en que se catalogan.

De este modo parece haberlo entendido la jurisprudencia que ha rechazado la alegación de que un listado de ordenador no puede ser considerado documento mercantil, porque no refleja derechos ni obligaciones ni proporciona información completa formal y solemne de lo que en el mismo se detalla, y ha aceptado que el mencionado listado en cuanto contiene una relación nominal de empleados y nóminas a transferir por mediación bancaria, integra un documento mercantil en cuanto esa es la única razón de su confección e introducción en el tráfico jurídico (STS de 22 de enero de 1999, y las resoluciones allí citadas). Y ha admitido, desde otra perspectiva, el documento electrónico, a condición de que quede garantizada su autenticidad, y que esto es factible, inclusive mediante lo que podría calificarse hoy de firma electrónica —cifras, códigos, claves y similares procedimientos— (STS, Sala de lo Contencioso administrativo de 3 de noviembre de 1997, en la que se citan diversas disposiciones en las que se reconoce y atribuye efectos jurídicos al documento en soporte electrónico). Asimismo, se ha estimado que las etiquetas adheridas a los productos expuestos a la venta con los códigos de barras que marcan los precios, son verdadero soporte documental, «documento electrónico», en cuanto que parte de su contenido se constata por medios electrónicos; y en el caso de autos, tienen indudable naturaleza mercantil, ya que señalan el precio de venta de objetos de un establecimiento mercantil (SAP de Santa Cruz de Tenerife de 17 de marzo de 1998 —Ar. 1158—).

2. FALSEDADES DOCUMENTALES

A ellas están dedicados los artículos 390 y siguientes del Código, en los que se precisan las modalidades falsarias que tienen por objeto las distintas clases de documentos, y el uso de los documentos resultantes de dichas maniobras.

Artículo 390: *«1. Será castigado con las penas de tres seis años, multa de seis a veinticuatro meses e inhabilitación especial por tiempo de dos a seis años, la autoridad o funcionario público que, en el ejercicio de sus funciones, cometa falsedad:*

«1°Alterando un documento en alguno de sus elementos o requisitos de carácter esencial.

«2° Simulando un documento en todo o en parte, de manera que induzca a error sobre su autenticidad.

«3°Suponiendo en un acto la intervención de personas que no la han tenido, o atribuyendo a los que han intervenido en él declaraciones o manifestaciones diferentes de las que hubieran hecho.

«4° Faltando a la verdad en la narración de los hechos.

«2. Será castigado con las mismas penas a las señaladas en el apartado anterior el responsable de cualquier confesión religiosa que incurra en alguna de las conductas descritas en los números anteriores, respecto de actos y documentos que pueden producir efecto en el estado de las personas o en el orden civil.»

Dentro de falsedades documentales se distingue tradicionalmente entre falsedad ideológica y falsedad material (distinción no exenta de polémica y de puntos obscuros, como puso de relieve Casas Barquero):

- la *falsedad material* afecta a la genuidad del documento y estriba en confeccionarlo o modificarlo, con la pretensión de hacerlo pasar por auténtico (entrarían en este grupo los supuestos 1 y 2 del artículo 390; vid., entre otras, la STS de 25 de mayo de 1999 —Ar. 5986—);
- la *falsedad ideológica* afecta a la veracidad del contenido del documento (como en los supuestos 3 y 4 del artículo 390; vid. las SSTS de 25 de marzo y 9 de junio de 1999, Ar. 2053 y 3881, respectivamente).

Pero antes de ocuparnos de las cuatro modalidades falsarias típicas, hemos de referirnos al sujeto activo.

a) Sujeto activo

En el artículo 390 el sujeto activo es la autoridad o el funcionario público (tal como aparecen definidos en el artículo 24 del CP); en el 392, el particular que comete falsedad en documentos públicos, oficiales o mercantiles; y en el 395, el particular también que falsifica un documento privado. En cuanto al funcionario público se ha señalado que no basta estar en posesión de dicha condición para poder ser autor del delito, que hace falta que, además, tengan competencia bastante para crear o autorizar documentos, cuya falsedad pueda incluirse entre las punibles (Quintero).

Esta configuración de los sujetos activos y la expresa exclusión para el particular de la conducta prevista en el número 4 del artículo 390, ha permitido afirmar la destipificación de la falsedad ideológica cometida por aquél. No obstante, pese a ello, no es tan obvio que un particular no pueda cometer falsedad ideológica alguna, por cuanto que la del número 3 del citado artículo sí está a su alcance, y en dicho precepto se sanciona suponer en un acto la intervención de personas que no la han tenido y atribuir a las que han intervenido manifestaciones diferentes de las que hubieran hecho, algo no muy distinto de faltar a la verdad en la narración de los hechos vid. la STS de 25 de mayo de 1999 —Ar. 5986—).

b) Modalidades típicas

No toda adulteración de un documento implica la comisión de una falsedad documental, sino solamente aquella que encaja en alguna de las modalidades castigadas en el artículo 390, y atañe a la autenticidad o a la veracidad del documento entendida ésta última como la discordancia entre lo reflejado en el documento y lo que se debió reflejar en él, siempre que afecte a aspectos esenciales del mismo. Y son como ha quedado dicho: la alteración de un documento en alguno de sus elementos o requisitos de carácter esencial; su simulación en todo o en parte, de manera que induzca a error sobre su autenticidad (vid. la STS de 3 de marzo del 2000); suponer en un acto la intervención de personas que no la han tenido o atribuir a las que sí han intervenido manifestaciones diferentes de las que haya efectuado; faltar a la verdad en la narración de los hechos.

Ahora bien, para que la acción de un funcionario o de una autoridad sea acreedora a la pena prevista en el artículo 390, se requiere no sólo que ajuste perfectamente en alguno de los apartados de éste sino que, además, es imprescindible que se efectúe con el fin de hacer entrar al documento contrahecho o manipulado en el tráfico jurídico, no con un fin inocuo, afectando a aspectos sustanciales de aquél y que el resultado obtenido tenga una apariencia de autenticidad, que lo haga idóneo para inducir a error a una persona de conocimientos y experiencia medios (en este mismo sentido, las SSTS de 12 de diciembre de 1991, 15 de julio de 1992, 4 de julio y 2 de diciembre de 1994, 27 de abril y 28 de septiembre de 1995, 11 de enero, 10 y 12 de marzo de 1999, 14 de abril del 2000, entre otras).

c) Tipo imprudente

En el artículo 391 se tipifica la falsedad cometida por imprudencia grave por funcionario público o autoridad, que viene a resolver de manera definitiva la antigua discusión sobre si era o no factible la comisión culposa de la falsedad documental. Nuestra jurisprudencia la admitía, presumiblemente, por dos clases de razones: para no castigar como dolosas conductas que en rigor lo eran, aunque quizá no merecedoras de un reproche penal tan severo (notario que afirma conocer a los otorgantes sin cerciorarse de su identidad o dio fe de la intervención en un contrato de quien no lo hizo, corredor de comercio que no se cercioró de la identidad y capacidad de las partes, en SSTS de 22 de mayo de 1963, 28 de mayo de 1982, 4 de marzo de 1975, respectivamente), y para que los perjudicados pudieran conseguir una indemnización mayor.

Es de advertir la inexistencia de un precepto equivalente para las falsedades cometidas por particular.

d) Presentación en juicio y hacer uso del documento a sabiendas de su falsedad

Está contemplado este comportamiento en los artículos 393 y 396.

> Artículo 393: *«El que, a sabiendas de su falsedad, presentare en juicio o, para perjudicar a otro, hiciere uso de un documento falso de los comprendidos en los artículos precedentes, será castigado con la pena inferior en grado a la señalada a los falsificadores».*

> Artículo 396: *«El que, a sabiendas de su falsedad, presentare en juicio o, para perjudicar a otro, hiciere uso de un documento falso de los comprendidos en el artículo anterior, incurrirá en la pena inferior en grado a la señalada a los falsificadores.»*

e) Falsificación de certificados de facultativo y de autoridades y funcionarios públicos

> Artículo 397: *«El facultativo que librare certificado falso será castigado con la pena de multa de tres a doce meses».*

Artículo 398: *«La autoridad o el funcionario público que librare certificación falsa será castigado con la pena de suspensión de tres a seis meses.»*

En el artículo 399 se castiga al particular que falsifique una certificación de las señaladas en los preceptos transcritos o haga uso de ellas a sabiendas de su falsedad; certificaciones que muy bien pueden emitirse por vía electrónica.

3. *LAS FALSEDADES DOCUMENTALES Y LAS TRANSMISIONES ELECTRÓNICAS*

Tras la compendiada exposición de a algunos de los aspectos más significativos de las falsificaciones castigadas en los artículos 390 y siguientes, es de indicar que la comisión de una falsedad documental por medio de la informática puede suscitar algunos interrogantes específicos para los que no hay respuestas consolidadas y comúnmente aceptadas por la doctrina. Pero, sin vacilación puede adelantarse, los informáticos son unos medios comisivos, con evidentes singularidades, pero no tan distintos de otros a la hora de medir los resultados, pues, al final, lo que puede hacerse con ellos en el ámbito de las falsedades acaba siendo, a veces, similar a lo que podía hacerse con una máquina de escribir, y sobre todo, si nos fijamos en los efectos, vemos que a los mismos se llega por la vía de la electrónica o de las manualidades. Lo que sí permite aquélla es llegar a cualquier parte y acceder casi a cualquier sitio. En ese inmenso radio de acción y en su aptitud para alcanzar productos de excelente acabado, radica su «peligrosidad» y su particularidad.

Antes de esbozar posibles situaciones problemáticas, ha de recordarse, de una parte, una premisa evidente como es que sólo puede tildarse de falsedad documental la que recae sobre un objeto que reúne todos y cada uno de los elementos que, hemos visto, integran el documento, se ciñe a una de las actividades típicas del artículo 390, y reviste importancia bastante para trastocar el sentido o la autenticidad del documento, que se introduce o se pretende introducir en el tráfico jurídico, en el que potencialmente puede dejar sentir sus efectos; y por ende y de otra, que por medios informáticos o telemáticos se incurrirá en falsedad documental siempre que se cumplan las anteriores exigencias, tanto con respecto al objeto material cuanto a la conducta, partiendo siempre de la base de que cualquier documento generado informáticamente puede, en principio, sufrir una adulteración típica.

En la práctica podemos encontrarnos con un documento compuesto mediante técnicas informáticas, remitido y/o recibido por la red; que, a su vez, puede ser emitido como proveniente de quien no lo ha autorizado; o con documentos estáticos preparados por quienes proponen a otros suscribirlos o por el que se compromete a algo a cambio de una contraprestación, como en el caso de la contratación electrónica; o con documentos pertenecientes a un archivo o registro al que puede haber acceso libre o restringido. Y en cuanto a la operación realizada, puede estribar, como en toda falsedad, en modificar algún aspecto esencial del documento existente o en lanzar uno nuevo, con visos de autenticidad, utilizando y explotando las variadas y complejas oportunidades brindadas por la informática. Inevitablemente, se titubeará ante una realidad tan reciente y cambiante, y tan alejada de la idea de las falsedades documentales imperante hace sólo unos veinte años, cuando todas o casi todas planeaban sobre instrumentos escritos. Ahora no faltará quien se interrogue sobre si un documento informático es tal, dado que suele tratarse de una copia del original. Ni dejarán de plantearse serios problemas en orden a identificar al autor del documento, y a averiguar si la forma en la que se ha llevado a cabo la mixtificación es incluible en una de las modalidades típicas del artículo 390. Mas, ni los problemas probatorios, con todo su peso, inciden en la existencia o en la esencia del objeto del delito, ni las dificultades que plantea la subsunción de unos hechos en un tipo penal hace otra cosa que exigir una mayor esfuerzo al intérprete. La definición de documento hecha en el artículo 26 es lo suficientemente amplia y ha sido formulada con sobradas dosis de previsión para acoger cuantas manifestaciones de voluntad o narraciones de hechos o datos con relevancia jurídica se incorporen a un soporte duradero y, por tanto también, a un soporte informático. Y cuando se reflexiona sobre las muy variadas maniobras que un experto puede ejecutar con un ordenador para tergiversar un documento, se acaba concluyendo que, por sofisticadas que se nos antojen, son reconducibles, en gran medida, a una de las conductas descritas en el artículo 390.

4. PROBLEMAS CONCURSALES

Frecuentemente, con la falsificación de un documento se pretende cometer una estafa, en cuyo caso nos encontraremos ante un concurso «medial» sujeto a las reglas del artículo 77 (vid. la STS de 22 de enero de 1999). Una excepción a este criterio aparece en los supuestos de falsificación de documento llevada a cabo por un particular, para los cuales y dada la existencia de la variante específica de estafa, consistente en otorgar en perjuicio de otro un contrato simulado (artículo 251.3º), en la que ya se toma en consideración la falsedad ejecutada para defraudar, parece lo más correcto acudir a la regla 4ª del artículo 8 (también Muñoz Conde).

En los delitos contra la Hacienda Pública, la falsedad realizada por un funcionario para encubrir una defraudación tributaria se castiga como tal, de acuerdo con el artículo 390 (Rodríguez Mourullo); y la efectuada por un particular para cometer delito fiscal cae en el terreno del concurso «medial» de infracciones (Boix).

Capítulo VII
OTROS DELITOS

No es fácil hacer un catálogo cerrado de todos los artículos del Código penal que pueden guardar alguna relación con las transmisiones electrónicas, así que nos limitaremos a anotar algunas más, prescindiendo de los que no presentan la menor singularidad, como el robo o el hurto de un ordenador, inscribibles en los artículos 237 y siguientes o 234, respectivamente. De hecho, es inacabable la lista de delitos que pueden ser cometidos con un modesto ordenador personal, pudiendo afirmarse que en algún momento de la ejecución de toda infracción puede haberse hecho uso de la informática. Mediante un programa de ordenador se puede hacer detonar una carga explosiva y cometer un asesinato o varios, se pueden cometer lesiones, provocar abortos, atentados, se puede prestar un auxilio ejecutivo al suicidio, se puede..., etc.

1. *FALSIFICACION DE LAS CUENTAS DE UNA SOCIEDAD*

En el artículo 290 del Código penal, en el marco del capítulo destinado a los delitos societarios, se castiga a

> *«Los administradores, de hecho o de derecho, de una sociedad constituida o en formación, que falsearen las cuentas anuales u otros documentos que deban reflejar la situación jurídica o económica de la entidad, de forma idónea para causar un perjuicio económico a la misma, a alguno de sus socios o a un tercero, serán castigados con la pena de prisión de uno a tres años y multa de seis a doce meses.*
>
> *«Si se llegara a causar el perjuicio económico se impondrán las penas en su mitad superior».*

Desde luego, sirviéndose de la informática, los administradores de una sociedad pueden falsear las cuentas y documentos de ésta, máxime si tenemos en cuenta que cada vez está más extendida la práctica de utilizar medios informáticos para llevar el control contable de una empresa. La cuestión es si hacía falta un precepto especial para castigar esa clase de conductas, cuando en el artículo 390 ya se castigan con carácter general las falsificaciones hechas en un documento mercantil, que es lo que realmente se tipifica en el 290, una falsedad específica en documento mercantil. Sin embargo, de no existir el artículo 290, como la falsificación hecha por un administrador, de hecho o de derecho, habría de sancionarse con arreglo al artículo 392 —por la condición de particular que aquél tiene—, del que está expresamente excepcionada la modalidad consistente en faltar a la verdad en la narración de los hechos, cuando fuera ésta la clase de falsedad cometida por un administrador, quedaría en la más absoluta impunidad (González Cussac; Valle Muñiz). Por consiguiente, sí era necesaria la creación de este tipo si se querían reprimir con él las cuatro modalidades falsarias previstas en el artículo 390 que, por lo demás, vienen a limitar las posibilidades típicas del artículo 290. En otras palabras, las falsedades recayentes sobre las cuentas anuales y los otros documentos que deban reflejar la situación jurídica y económica de una sociedad, sólo serán típicas en la medida en que se amolden a una de las cuatro variantes descritas en el 390. Dentro del objeto material tiene cabida un sinnúmero de documentos: en el concepto legal de cuentas anuales están incluidos el balance, la cuenta de pérdidas y ganancias y la memoria (conforme al artículo 172 de la ley de sociedades anónimas); y en la locución «documentos que deban reflejar la situación jurídica o económica de la entidad», muchos más, como los informes que necesariamente han de elaborar los administradores para la adopción de determinados acuerdos (vid. Faraldo Cabana).

Por lo demás, es requisito ineludible para tener por cometido el delito que la acción falsaria llevada a cabo sobre el objeto material sea idónea para causar un perjuicio económico a la sociedad, a alguno de los socios o a un tercero. En consecuencia, ha sido estructurado como un delito de peligro —de aptitud— para el patrimonio social o particular de socios y terceros, y al tiempo como un delito de lesión, puesto que, como paso previo, ha de vulnerarse el derecho de los socios y terceros a tener una información veraz y completa sobre la situación económica y jurídica de la sociedad, de la que, como hemos visto, ha de derivar el riesgo de perjuicio económico (vid. Martínez-Buján). Por cierto, que éste no puede presumirse sin más, será preciso acreditar con un mínimo de fundamento que efectivamente la falsedad cometida entrañaba ese peligro.

2. *EL LLAMADO BLANQUEO DE CAPITALES*

También son imaginables maquinaciones encuadrables en la receptación y otras conductas afines, realizadas aprovechando las ventajas que brinda *Internet*, para traficar con los efectos provenientes de delitos contra el patrimonio o el orden socioeconómico (artículo 298.2), y, particularmente, para el llamado blanqueo de dinero, al que se refiere el artículo 301:

Otra cosa es que la aplicación del precepto reproducido a supuestos como los ejemplificados y a cualesquiera otros haya de salvar no pocos obstáculos a causa de la forma en que ha sido concebido aquél y de las dificultades con que se tropieza para delimitar entre sí las diferentes figuras alojadas en los artículos 298 a 304 (vid. Vidales Rodríguez).

> *«1. El que adquiera, convierta o transmita bienes, sabiendo que éstos tienen su origen en un delito grave, o realice cualquier otro acto para ocultar o encubrir su origen ilícito, o para ayudar a la persona que haya participado en la infracción o infracciones a eludir las consecuencias legales de sus actos, será castigado con la pena de prisión de seis meses a seis años y multa del tanto al triplo del valor de los bienes.*
>
> *Las penas se impondrán en su mitad superior cuando los bienes tengan su origen en alguno de los delitos relacionados con el tráfico de drogas tóxicas, estupefacientes o sustancias psicotrópicas descritos en los artículos 368 a 372 de este Código.*
>
> *Con las mismas penas se sancionará, según los casos, la ocultación o encubrimiento de la verdadera naturaleza, origen, ubicación, destino, movimiento derechos sobre bienes o propiedad de los mismos, a sabiendas de que proceden de alguno d los delitos expresados en el apartado anterior o de un acto de participación en ellos.*

La red de *Internet* puede ser usada para el blanqueo de capitales, mediante operaciones muy variadas y encadenadas, haciendo intervenir a diferentes operadores, reales o ficticios, a sociedades inexistentes, a entidades de los llamados paraísos fiscales, a sociedades interpuestas, etc., de difícil control, en las que la ejecución de la transacción es muy rápida y el anonimato, posible, siquiera sea por los muchos rastros dejados con el fin de desorientar.

3. *ESTRAGOS*

En el delito de estragos (artículo 346) se contempla expresamente el castigo de quienes provocando explosiones o utilizando otro medio de similar potencia destructiva, causen ...una perturbación grave de cualquier clase o medio de comunicación:

> «Los que, provocando explosiones o utilizando cualquier otro medio de similar potencia destructiva causaren la destrucción de aeropuertos, puertos, estaciones, edificios, locales públicos, depósitos que contengan materiales inflamables o explosivos, vías de comunicación, medios de transporte colectivos, o la inmersión o varamiento de nave, inundación, explosión de una mina o instalación industrial, levantamiento de los carriles de una vía férrea, cambio malicioso de las señales empleadas en el servicio de ésta para la seguridad de los medios de transporte, voladura de puente, destrozo de calzada pública, **perturbación grave de cualquier clase o medio de comunicación**, incurrirán en la pena de prisión de diez a veinte años, cuando los estragos comportaren necesariamente un peligro para la vida o integridad de las personas.»

4. DESÓRDENES PÚBLICOS

En el artículo 560.1, en relación con los desórdenes públicos, se tipifica la causación de daños que interrumpan, obstaculicen o destruyan líneas o instalaciones de telecomunicaciones.

> **«Los que causaren daños que interrumpan, obstaculicen o destruyan líneas o instalaciones de telecomunicaciones** o la correspondencia postal, **serán castigados con la pena de prisión de uno a cinco años.»**

También puede aludirse, por último, al artículo 473, vinculado al delito de rebelión, en el que se castiga causar estragos en propiedades de titularidad pública o privada, cortando las comunicaciones telegráficas, telefónicas, por ondas, etc.

Capítulo VIII
CUESTIONES FINALES

1. DELITOS TRANSFRONTERIZOS. LA RESPONSA-BILIDAD DE LOS PROVEEDORES DE INTERNET

En las páginas anteriores nos hemos referido a algunas normas del Código penal susceptibles de abarcar determinadas conductas que suelen calificarse como delitos informáticos. Es de notar, sin embargo, que el análisis de esos tipos penales tan sólo entraña una visión sesgada de la amplia problemática que hoy plantea la utilización fraudulenta de la tecnología informática, cuyo tratamiento no ha de ser sólo interdisciplinar sino también global, al menos en algunos aspectos.

Téngase en cuenta que la eclosión de *Internet* ha dado lugar a numerosos delitos de carácter transfronterizo, y a una «criminalidad de alta tecnología», de carácter organizado, que actúa a través de la red (blanqueando los efectos procedentes del delito, cometiendo fraudes en las transacciones comerciales, realizando espionaje económico, etc.), cuya persecución no encuentra tan solo trabas procesales, derivadas de las propias limitaciones a la aplicación ultraterritorial de las leyes nacionales, sino también escollos sustantivos, que conducen a veces a la impunidad de ciertas personas que contribuyen a la difusión de la información delictiva (vid., sobre este tipo de criminalidad, Militello; y Sieber, 1998). En el orden procedimental, no resulta difícil a los delincuentes informáticos orillar la competencia de los Tribunales cuando actúan desde lo que suelen denominarse *paraísos informáticos* (esto es, países que no han ratificado los convenios internacionales de protección de los datos insertos en la red, y en los que no existe una regulación adecuada de estas conductas), toda vez que, en principio, la ley de cada estado alcanza hasta donde llegan los confines de su soberanía. Bien es verdad que los diferentes países suelen prever excepciones a esa regla general, basadas comúnmente en la nacionalidad del sujeto activo del delito, y en la naturaleza de la infracción; como así lo hace nuestro ordenamiento jurídico en el artículo 23 de la LOPJ, en el que se faculta a los

Tribunales españoles para conocer de algunos hechos realizados fuera del territorio nacional (bajo ciertas condiciones legales). En concreto, cuando el delito sea cometido por un español (o persona que hubiese adquirido la nacionalidad española con posterioridad a la comisión del hecho), o cuando se trate de uno de los delitos enumerados en los números 3º y 4º (entre los que destacan los relativos a la prostitución, tráfico de drogas, falsificación de monedas, etc.), dejando no obstante la puerta abierta a cualesquiera otras infracciones que a través de tratados internacionales puedan incorporarse a los enumerados. Con todo, quedan al margen de estas excepciones determinados delitos, como los relativos a la propiedad intelectual que, en el ámbito virtual, presentan una particular importancia. Es cierto, también, que para sortear esta laguna legal bastaría mantener un criterio flexible en materia competencial, entendiendo realizado el delito, tanto en el lugar en que se ejecute la acción, como en aquel en que se produzca el resultado delictivo (teoría de la ubicuidad). Sin embargo, tal solución no sólo estaría sembrada de dificultades prácticas, habida cuenta de la multiplicidad de países a los que llega la información difundida por *Internet*, y que, por ende, podrían considerarse competentes para conocer del delito, sino que, además, en algunos casos podría conducir a soluciones palmariamente injustas, dadas las diferencias de trato que respecto a una misma infracción suelen existir entre los diferentes ordenamientos.

Pero la incriminación de estos delitos no sólo plantea dificultades cuando la conducta se lleva a cabo desde esos países ayunos de regulación en la materia. También cuando la acción está tipificada en el país de origen surgen lagunas punitivas en relación con determinadas personas que intervienen en la cadena delictiva una vez introducida la información en la red: nos referimos a la actuación de los proveedores que facilitan la distribución de esos contenidos por otros países, cuando su actuación va más allá del mero apoyo técnico, pudiéndose calificar como acto de colaboración. Lo que entronca, a su vez, con otra cuestión: la delimitación de la responsabilidad de esos sujetos respecto a los contenidos ilícitos alojados en servicios dependientes de su servidor.

Bajo el telón del principio de accesoriedad que rige la participación, resulta muy difícil dar hoy una solución legal a esos supuestos en que el autor y el intermediario actúan desde países distintos, y, tal vez, sin conexión alguna entre ellos, máxime si tenemos presentes las limitaciones territoriales de la ley penal, y los principios restrictivos vigentes en materia de extradición; solución, además, que, de encontrarse, verosímilmente trompillaría de nuevo con el óbice de la diferencia penológica asignada a cada infracción en los distintos países. Lo que pone de manifiesto que de *lege ferenda* la vía adecuada para salvar estas lagunas punitivas es la articulación de tratados entre los distintos países, acompañados de la oportuna reforma legal de sus ordenamientos, sin perjuicio de implementar disposiciones internacionales que establezcan una normativa global en algunas cuestiones (como se ha hecho ya en el seno de la Unión Europea, en materia de protección de datos, comercio electrónico, etc.). En este último sentido destaca la Convención de las Naciones Unidas sobre crimen organizado trasnacional, abierto a la firma de los estados miembros del 12 al 15 de diciembre de 2000, que establece obligaciones universales de incriminación en relación con la participación en un grupo criminal, el blanqueo, la corrupción, y la obstrucción al buen funcionamiento de la justicia (Militello).

En relación con la posición jurídica de los proveedores y operadores técnicos, es patente que su responsabilidad debe quedar excluida cuando la información ilícita se envíe en forma de correo electrónico, o como adjunto a estos mensajes (piénsese que su control no sólo resulta difícil en la *praxis*, dada la magnitud de *e-mails* que circulan por la red, sino que, además, supondría una violación de la intimidad, que podría revestir incluso tintes delictivos). El problema surge respecto a los contenidos alojados en foros abiertos (es decir, accesibles a todos los usuarios —servicios *web*, etc.—), cuando esa información no la ofrece el propio proveedor (en cuyo caso, la exigencia de responsabilidad no presentaría problemas), sino los usuarios que utilizan los espacios proporcionados por dicho intermediario, introduciendo en ellos contenidos ilícitos. ¿Es exigible al proveedor algún tipo de control respecto a esos contenidos?, y por ende, ¿puede atribuírsele responsabilidad penal en comisión por omisión? ¿Qué ocurre si conoce el carácter delictivo de la información?

En Europa, el debate acerca de la posible responsabilidad penal de los proveedores de *Internet* y de los operadores de los servicios *on-line* se acrecentó especialmente a partir del proceso seguido en 1997 en Alemania contra la compañía *CompuServe*, por difundir pornografía infantil emitida desde EE.UU. La sentencia condenatoria recaída en primera instancia (posteriormente revocada), fue duramente contestada por la doctrina germana, por entender que la responsabilidad del proveedor (en este caso la citada compañía) basada en la falta de control de la información difundida carecía en absoluto de cobertura legal, toda vez que el Código penal alemán no establece la obligación de esos sujetos de supervisar los contenidos divulgados. Postura que se vio reflejada en dos normas, una de ámbito federal, *Teledienstgesetz* (TDG), y otra de todos los estados, *Mediendienste-Staatsvertrag* (MDStV), aprobadas el 1 de agosto de 1997. (En la actualidad existe una propuesta de reforma, *Elektronische Geschäftsverkehr* —EGG—, para adecuar estas disposiciones a la Directiva sobre comercio electrónico, a la que después aludiremos). En ambas (parágrafos 5 respectivos), la responsabilidad de los proveedores queda limitada a aquellos casos en que, teniendo conocimiento del carácter ilícito de la información difundida no adopten las medidas necesarias para evitarla, o no la bloqueen o supriman, contando con los mecanismos técnicos para hacerlo (además de la responsabilidad por los contenidos propios o seleccionados por esos sujetos). En ningún caso el ofrecimiento de infraestructura técnica a los usuarios se considera base suficiente para fundar una condena penal, articulada en la deficiente comprobación de los contenidos ajenos (Sieber, 1997, 1999).

Otros países, en cambio, optaron por una regulación más estricta, estableciendo la responsabilidad de tales intermediarios por omitir los controles necesarios para evitar la circulación de contenidos prohibidos. Este fue el caso de EE.UU., en la *Communications Decency Act* de 1996. No obstante, la incompatibilidad de esta ley con el derecho fundamental a la libertad de expresión previsto en la enmienda 1ª de la Constitución americana hizo que se declarara inconstitucional (Sieber, 1999).

Por su parte, la Unión Europea se ha hecho eco de las crecientes demandas doctrinales que, ante el vertiginoso incremento del comercio por *Internet*, propugnaban la implementación de normas supranacionales que regularan la sociedad global de la información (Freund), aprobando la Directiva 2000/31/CE, del Parlamento europeo y del Consejo, sobre el comercio electrónico. Disposición que aun cuando niega toda función de armonización de las legislaciones nacionales, declarando como único objeto la creación de un marco punitivo que garantice la libre circulación de los servicios de la sociedad de la información, es aventurable que producirá ese efecto, habida cuenta del vacío legal que todavía existe en muchos países (incluida España), y que deberá colmarse de acuerdo con las prescripciones previstas en dicha Directiva (que los estados miembros han de incorporar a sus ordenamientos antes del 17 de enero de 2002 —artículo 22—).

De acuerdo con esta norma, los estados miembros no impondrán a los prestadores de servicios una obligación general de supervisar los datos que transmitan o almacenen, ni una obligación general de realizar búsquedas activas de hechos o circunstancias que indiquen actividades ilícitas. Sin perjuicio de que puedan establecer obligaciones tendentes a que esos sujetos comuniquen con prontitud a las autoridades los presuntos datos ilícitos (artículo 15.1 y 2). Para decirlo resumidamente, se prevé que quienes se limiten a facilitar el acceso a la red o a la transmisión de datos, o presten servicios de almacenamiento temporal (*caching*), o de alojamiento de datos, no serán considerados responsables de la información, salvo si la han originado, seleccionado o modificado o han intervenido en la utilización ilícita de la tecnología, o, conociendo el carácter ilícito de esos contenidos, no han actuado con celeridad para retirarlos (artículos 12, 13, y 14, respectivamente).

Por el contrario, nuestro país no cuenta todavía con una regulación específica sobre este tema (vid., en particular, acerca de la normativa existente en España sobre *Internet*, Galindo). En el campo de la informática la actividad del legislador en los últimos años ha tenido como norte la incorporación a nuestro ordenamiento de las nuevas formas de comisión delictiva en las que intervienen elementos informáticos; mas, sin reflejar, paralelamente, esas modalidades de participación a través de redes de comunicación, que las más de las veces tienen un difícil encaje en las normas tradicionales. Si bien es cierto que, recientemente, las directrices de la Directiva europea han fraguado en un Anteproyecto de ley de servicios de la sociedad de la información y de comercio electrónico (elaborado por la Comisión Permanente del Consejo asesor de Telecomunicaciones y de la Información), en el que se establece como regla general la exención de responsabilidad por las actividades de intermediación que impliquen transmisión, copia, almacenamiento o localización de contenidos ajenos (artículo 13), en sintonía con la citada norma comunitaria, estableciendo también un régimen semejante en cuanto a la responsabilidad de estos sujetos (artículos 14 a 17). Así pues, si, como parece lógico, dicha disposición se aprueba en los términos expuestos, habrá que negar la posibilidad de exigir responsabilidad penal a los proveedores, en comisión por omisión, por falta de control de la información introducida a través de sus servicios (lo que ya puede concluirse hoy, a la vista del artículo 11 del Código penal, y, en especial, ante la ausencia de una obligación legal de supervisión). Dicha responsabilidad queda reducida a los supuestos de autoría activa, y de participación (activa u omisiva).

Antes de concluir, queremos dejar constancia de la reciente elaboración, en el seno del Consejo de Europa, de un proyecto de convención sobre delincuencia informática (*cyber-crime*), cuyo objeto lo integra la cooperación entre los estados miembros, y la implementación de una política penal común dirigida a la protección de la sociedad contra este tipo de crímenes. Sin embargo, algunas de las medidas previstas encontrarán serios inconvenientes en las legislaciones nacionales para su aplicación, especialmente, aquellas que se refieren a la búsqueda e incautación de datos por parte de las autoridades nacionales. En este sentido, se dispone que los estados miembros adoptarán las medidas legislativas y de otra índole que sean necesarias para autorizar a las autoridades competentes a la búsqueda, copia y retención de los datos informáticos almacenados (artículo 19); así como para la recogida y grabación, en tiempo real, de los datos informáticos que estén en el tráfico, transmitidos en su territorio, obligando a los proveedores de *Internet* a que cooperen en dichas actuaciones (artículo 20). Asimismo, donde debido a los principios establecidos en sus sistemas legislativos nacionales no puedan adoptarse estas medidas, pueden

articularse otras destinadas a garantizar la recogida y grabación de esos datos (artículo 21; que ha sido interpretado como
una invitación a los estados miembros para que autoricen a
operadores extranjeros para intervenir en esa recogida de
información) (vid., sobre el particular, The New York Times, 27
de abril de 2001). Disposiciones que, sin duda, entrañan una
vulneración del derecho fundamental a la intimidad, especialmente protegido en la Constitución española, como hemos
visto, en relación con los datos registrados en los sistemas
informáticos; por lo que es aventurable que la citada convención no se incorpore a nuestra legislación, al menos en los
términos en que se halla actualmente redactada. (Dicha Convención puede consultarse en la siguiente dirección de *Internet*:
    http://conventions.coe.int/treaty/FR/projects/cybercrime 24.
htm).

Aun cuando el estudio de las normas citadas excede del
objeto del presente trabajo, con estos breves apuntes hemos
querido poner de relieve la existencia de una problemática que
sobrepasa los confines de los preceptos que hemos examinado,
cuyo análisis tan solo comprende, por tanto, una parcela de los
múltiples problemas que, desde el punto de vista penal, plantea
la sociedad de la información.

2. PROBLEMAS PROBATORIOS

Páginas atrás hemos hecho referencia a algunas de las
dificultades a las que se enfrenta la Administración de Justicia
y las fuerzas policiales para detectar la comisión de delitos a
través de los medios informáticos, y para encontrar pruebas
fehacientes de que, efectivamente, se han llevado a cabo por el
presunto responsable. Y, desde luego, tales dificultades existen,
pero sería exagerado deducir de ahí que se trata de barreras
insalvables.

El principal reto en este apartado se ciñe a un necesario
cambio de mentalidad y enfoque. La investigación y la consiguiente aportación de pruebas en materia de delitos
informáticos, o de delitos cometidos mediante la informática,
ha de abordarse por procedimientos y técnicas distintos de los
que habitualmente se emplean a raíz de un robo, de un asesinato o de una violación. Y no hay razones para pensar que una

policía judicial, una judicatura y un ministerio fiscal especializados —quiérese decir con conocimientos informáticos, y no que se esté reclamando o aconsejando la creación de juzgados o de fiscalías «anti-delincuencia cibernética», Dios nos libre— no pueda combatir con razonable eficacia, con los mismos medios, esta clase de hechos. Aunque ciertamente ha de ser una especialización en permanente estado de actualización, habida cuenta de las innovaciones y los descubrimientos que casi a diario se producen en este campo, con las consiguientes posibilidades de poner en práctica nuevas maquinaciones.

De manera, por fuerza esquemática, exponemos algunas de las principales dificultades probatorias que han de enfrentarse en estos pagos:

a) Una presumible —con bastante fundamento— diferencia tecnológica cuantitativa y cualitativa, en cuanto a medios, a favor de quienes realizan conductas supuestamente delictivas. Diferencia que puede hacerse desaparecer con relativa facilidad, con inversiones y programas de especialización y actualización constante.

b) La posible tardanza en la concesión de los mandamientos judiciales autorizando la intervención en las comunicaciones electrónicas. Fácilmente salvable también, si bien —nunca debiera olvidarse— la agilización en este punto no debe hacerse a costa de sacrificar las garantías de los ciudadanos.

c) Las oportunidades que proporciona la informática para realizar programas que pueden ir seguidos de una inmediata activación o de una activación retardada, que deja sentir sus efectos tiempo después de dada la orden, tal vez incluso, de forma ya no controlada por quien la ordenó. Lo que, de modo patente, puede obstaculizar seriamente el rastreo y detección del autor, máxime cuando es factible que al tiempo de la exteriorización del delito, se encuentre realizando una actividad incompatible con la determinante de aquella.

d) Como lo obstaculiza la posibilidad de encubrir el hecho, por ejemplo modificando un programa, para que realice una actividad ilícita en beneficio del autor y establezca una rutina software que vuelva a modificar el programa, en forma automática, una vez realizado el hecho, dejándolo tal y como se encontraba al principio.

e) La facilidad para borrar las pruebas es otro de los impedimentos para la probanza de los hechos. Facilidad que puede estar originada por la pertenencia del autor a la plantilla profesional de la empresa en la que se encuentra el ordenador, con el que se ha realizado la acción delictiva; por la flexibilidad y dinámica del procesamiento informático, que impide detectar una determinada actividad con posterioridad a su realización, o permite lograr la desaparición de las operaciones efectuadas (sobre los tres últimos apartados, cfr. Davara Rodríguez).

Pero, insistimos, las dificultades pueden vencerse. Siempre será viable acometer una investigación con visos de éxito si se dispone de personal especializado y motivado y de los medios adecuados. Después de muchos siglos, sigue mostrando su plena validez la conocida frase: «Lo que un hombre puede levantar con gran esfuerzo e ingenio, otro puede destruirlo».

APÉNDICE DE DISPOSICIONES

Aun cuando el estudio de todas las normas que a continuación se relacionan excede del objeto del presente trabajo, con estos breves apuntes queremos poner de relieve la existencia de una problemática que traspasa los confines de los preceptos que hemos examinado, cuyo análisis tan sólo comprende, por tanto, una parcela de los múltiples problemas que, desde el punto de vista penal, plantea la sociedad de la información. De la muy amplia y variada normativa existente interesa destacar, entre otras, las siguientes disposiciones:

- *Ley 3/1991, de 10 de enero, de Competencia desleal;*
- *RD 428/1993, de 29 de octubre, que aprueba el Estatuto de la Agencia de Protección de Datos (declarado en vigor por la Disposición transitoria tercera de la L.O. 15/1999);*
- *RDL 1/1996, de 12 de abril, por el que se aprueba la Ley de Propiedad Intelectual;*
- *Ley 11/1998, de 24 de abril, General de Telecomunicaciones;*
- *RD 994/1999, de 11 de junio, de Medidas de seguridad de los ficheros automatizados que contengan datos de carácter personal;*
- *RD 14/1999, de 17 de septiembre, sobre firma electrónica;*
- *LO 15/1999, de 13 de diciembre, de Protección de datos de carácter personal, que deroga la LO.5/1992, de 29 de octubre, de Regulación del tratamiento automatizado de datos de carácter personal;*
- *RDL 7/2000, de 23 de junio, sobre medidas urgentes en el sector de las telecomunicaciones; y,*
- *Anteproyecto de ley de servicios de sociedad de la información y de comercio electrónico.*

Asimismo, ha de tenerse en cuenta la normativa internacional relacionada con esta materia, especialmente:

- *Resolución del Consejo, de 15 de julio de 1974, sobre una política informática comunitaria;*
- *Convenio nº 108 del Consejo de Europa, de 28 de enero de 1981, para la protección de las personas con respecto al procesamiento automatizado de datos de carácter personal (ratificado por España el 27 de enero de 1984);*

- *Directiva 91/250, de 14 de mayo de 1991, que ordena a los estados miembros proteger los programas de ordenador mediante derechos de autor como obras literarias;*
- *Directiva 95/46/CE, del Parlamento Europeo y del Consejo, de 24 de octubre de 1995, relativa a la protección de las personas físicas en lo que respecta al tratamiento de datos personales y a la libre circulación de esos datos;*
- *Resolución del Consejo de la Unión Europea, de 17 de febrero de 1997 DOC núm. 70, de 6 de marzo —L.C.Eur. 1997, 626—), sobre contenidos ilícitos y nocivos en Internet;*
- *Directiva 97/66/CE del Parlamento Europeo y del Consejo, de 15 de diciembre de 1997, relativa al tratamiento de datos personales y a la protección de la intimidad en el sector de las telecomunicaciones;*
- *Decisión nº 276/1999/CE del Parlamento Europeo y del Consejo de 25 de enero de 1999, por la que se aprueba un plan plurianual de acción comunitaria para propiciar una mayor seguridad en la utilización de Internet mediante la lucha contra los contenidos ilícitos y nocivos en las redes mundiales;*
- *Directiva 2000/31/CE, del Parlamento Europeo y del Consejo, sobre el comercio electrónico;*
- *Convención de la ONU sobre el crimen organizado trasnacional, de diciembre de 2000 (abierto a la firma de los estados del día 12 al día 15); y,*
- *Proyecto de Convención del Consejo de Europa sobre cibercriminalidad.*

GLOSARIO*

A continuación se ofrece un glosario, por fuerza incompleto, de los términos más frecuentemente usados en informática; por fuerza incompleto, primero, porque no es difícil que se nos haya escapado algún término o alguna expresión de entre los muchos que integran la jerga informática; segundo, porque siendo, como es archisabido, el de las transmisiones electrónicas un mundo en constante evolución, por los avances que los investigadores y las empresas le imprimen, de forma a menudo calculada, y por los hallazgos que los usuarios hacen a diario al operar los sistemas a su alcance, van apareciendo en el mismo nuevas funciones, nuevas posibilidades que es preciso «bautizar». Con lo que también el vocabulario de los informáticos está sujeto a cambios continuados y casi cotidianos.

Creemos de todos modos, que tiene alguna utilidad para los no iniciados, y por ello nos atrevemos a incorporarlo en el presente apéndice.

Administrador: Persona encargada de la supervisión y control del correcto funcionamiento de un sistema informático. También conocido como *Sysop* o *Root*.

ADSL: Siglas inglesas de *Asymetrical Digital Subscriber Line*. Línea Digital de Abonado Asimétrica.

Attachment: Adjunto. Fichero o archivo enviado junto con un mensaje de correo electrónico y que puede contener texto, imágenes, sonido, secuencias.

Backdoor: Literalmente significa puerta trasera. Mecanismo en el software que permite entrar en un sistema informático evitando el método habitual de entrada. Por lo general el término se utiliza para referirse a agujeros de seguridad creados intencionadamente por diseñadores y programadores con distintos fines como chequear la ejecución del programa, producir salidas de control, etc.

BBS: Siglas inglesas de *Bulletin Board System* o Tablero de Anuncios Electrónico. Considerado como el germen de la *World Wide Web*, era un servidor que proporcionaba a sus usuarios servicios variados como e-mail, intercambio o transferencia de mensajes y ficheros.

---

* La redacción de este glosario ha corrido a cargo de Daniel Ferrandis Ciprián.

Bomba de tiempo: Subespecie de bomba lógica en la que la acción destructiva para el sistema se produce transcurrida o en una fecha determinada.

Bomba Lógica: Código de programación o rutina insertada subrepticiamente en un sistema operativo o programa que se activara en el momento en que el usuario realice una acción predeterminada, como ejecutar una determinada aplicación o pulsar una combinación de teclas, comprometiendo la seguridad del sistema o destruyendo o modificando la información contenida en el mismo.

Boot: Sector de arranque, zona del disco duro en la que se encuentran los ficheros que hacen posible que se cargue en memoria el sistema operativo y los programas necesarios para el correcto funcionamiento del sistema.

Bounce: Devolución de un mensaje de correo electrónico debido a problemas para entregarlo a su destinatario.

Boxes: Aparatos o circuitos electrónicos o eléctricos que generan tonos multifrecuenciales para lograr comunicaciones telefónicas gratuitas. Los dispositivos electrónicos más utilizados eran:

– **Bluebox**: genera tonos de llamada a larga distancia.
– **Greenbox:** genera tonos de llamada a cobro revertido.
– **Redbox**: genera tonos para realizar llamadas gratis.

Browser: Navegador. Aplicación informática que permite visualizar el contenido de las páginas web de *Internet*. Los dos navegadores más utilizados en la Web son el *Navigator* de Netscape y el *Internet Explorer* de Microsoft.

Bug: El término bug (en inglés «*bicho*») hace referencia a un fallo o defecto de software o hardware que provoca un error, que hace que en ciertas circunstancias pueda no comportarse correctamente. También se les denomina agujeros o *hole* pues permiten a los *hackers* introducirse en sistemas informáticos ajenos.

Buggy: Programa inestable o inseguro; lleno de fallos.

Buscador: Sitios web que permiten buscar y localizar información en *Internet*.

Caballo de Troya, Troyanos: Programas, en apariencia inofensivos, que una vez ejecutados por el usuario actúan de forma diferente a como estaba previsto y desarrollan una acción de sabotaje contra el sistema informático. Los troyanos no se replican a sí mismos lo que les diferencia de los virus puros aunque algunos si son capaces de enviarse como adjuntos.

Caching: Técnica que permite acelerar el acceso a las páginas *web* que se visitan con más frecuencia almacenando una copia temporal de su contenido en un servidor más cercano al usuario.

Carding: Nombre con el que se conoce la utilización de tarjetas de créditos ajenas o de sus números así como la conducta consistente en generar números de tarjetas de crédito.

Careware: Tipo de *shareware* en que el creador solicita que el pago se realice a obras de caridad. También llamado *Charityware*.

Carrier: Operador de Telefonía que proporciona una conexión a *Internet* de alto nivel.

Chat: Literalmente significa charlar. Comunicación en tiempo real, es decir, directa y simultánea entre dos o más personas a través de *Internet*.

Ciberpunk: Movimiento literario, estético e ideológico caracterizado por la desconfianza frente a las posibilidades de control de la sociedad que ofrecen las nuevas tecnologías. En el aspecto literario destaca la obra de William Gibson, el primero en usar el término en su relato «Quemando Cromo», que ha inspirado películas como «Matrix» o «Johny Mnemonic». El término *ciberpunk* se utiliza también como sinónimo de *hacking*.

Clave pública: Sistema de cifrado de datos que utiliza dos claves distintas para cifrar y descifrar la información: una clave pública conocida por todo el mundo y otra privada conocida sólo por quien envía y/o recibe el mensaje.

Clave simétrica: Sistema de cifrado de datos que utiliza la misma clave para cifrar y descifrar la información.

Cloacker: Programa encargado de borrar las huellas que deja la entrada no autorizada en un sistema informático ajeno (generalmente, ficheros con la extensión .log, encargados del registro de los usuarios que se conectan a un sistema, de su IP, etc.). También llamado *Zapper*.

Cookies: En inglés «*galletitas*». Bloques de datos que determinados sitios *web* envían a las máquinas que se conectan a ellos, quedando almacenadas en su disco duro. Cuando el usuario vuelve a visitar ese sitio *web*, los datos son reenviados al servidor proporcionándole información actualizada acerca del mismo: datos personales, direcciones de correo electrónico, frecuencia con que visita determinadas páginas *web*, etc.

Cracker: Experto en la eliminación de las protecciones de una aplicación informática que impiden su copia no autorizada, o de las protecciones de una aplicación *shareware* que impiden su uso pasada una determinada fecha. El término *cracker* es utilizado también para definir a quien accede ilegalmente a un sistema informático ajeno con fines vandálicos o dañinos. En este último sentido, se utiliza como sinónimo la expresión *dark-side hacker* (hacker del lado oscuro).

Criptografía: Ciencia que estudia y diseña el conjunto de técnicas empleadas para cifrar la información.

Data diddling: Es la manipulación de datos consistente en sustituirlos o modificarlos antes o durante la fase de introducción de los datos en el ordenador.

Debugger: Término genérico que designa un programa que permite la ejecución controlada de otros programas, mostrando simultáneamente el código que se está ejecutando. Esto posibilita el seguimiento pormenorizado de las instrucciones que el sistema informático está ejecutando, así como la realización de las modificaciones necesarias para evitar las secciones del código que no interesan al usuario o la localización de *bugs*, el diseño de *cracks*, etc. También se les conoce como programas *DDT*.

Dirección IP: Dirección numérica separada por puntos que identifica en exclusiva a un ordenador en *Internet*. Así un ejemplo de dirección IP es: 147.156. 1. 56.

Dirección URL: Siglas inglesas de *Uniform Resource Locator*. Localizador Uniforme de Recursos. Conjunto de caracteres o dirección que identifica de manera inequívoca un recurso determinado en la red; un archivo, un documento, una página web, etc. Así por ejemplo, la URL de la página de la Facultad de Derecho de la Universidad de Valencia es: http://www.uv.es/~dret/nuevo/frames.html. Esta dirección URL se compone del protocolo (en este caso http, pero también podría ser ftp, etc.), nombre de dominio (www.uv.es), nombre de los subdirectorios (/~dret/nuevo) y, por último, nombre del documento.

Div-x: Programa destinado a la descomprensión de videos en formato MPEG4.

DNS: Abreviatura de *Domain Name System* o Sistema de nombres de Dominio. Es un sistema que gestiona la conversión de las direcciones de *Internet* expresadas en letras a una dirección numérica IP.

DoS Attack: *Denial of Service Attack* (Ataque de Denegación de Servicio). Abreviatura utilizada para designar aquellos incidentes en los cuales un usuario se ve privado del acceso a un servicio que normalmente podría utilizar. Así por ejemplo, el intento de desactivar un grupo de noticias mediante el envío masivo de *spam*. Existen dos clases de ataques *DoS:* los que se dirigen contra sistemas operativos aprovechándose de bugs en los mismos y los ataques de red.

E-mail address: Conjunto de caracteres que identifican en exclusiva a un usuario de correo electrónico y, en consecuencia, permiten la remisión de mensajes a un destinatario concreto. Todas las direcciones de correo electrónico tienen el siguiente formato: nombre de usuario @ nombre de dominio.

E-mail: Abreviatura de *Electronic mail*. Correo electrónico. Servicio que permite el envío y recepción de mensajes escritos entre usuarios de *Internet*. También hace referencia al mensaje transmitido a través de dicho servicio.

Emulador: Aplicación informática que permite utilizar en un ordenador juegos y aplicaciones diseñadas para otros sistemas (consolas, máquinas recreativas y ordenadores tipo Spectrum, Amstrad, etc.). El contenido de los cartuchos, disquetes o cintas que se usaban en el antiguo sistema se convierten en archivos binarios, denominados ROMs, que se ejecutan en el emulador. Esta tecnología no sólo ha sido utilizada para recuperar juegos y programas diseñados para sistemas que hoy han desaparecido del mercado sino también para «piratear» juegos de modernas consolas, con la consiguiente violación de los derechos de propiedad intelectual.

Exploit: Método concreto que utiliza un *bug* en el software para vulnerar la seguridad o de cualquier otra manera atacar un sistema informático o un servidor.

Fakemail: Envío de un mensaje de correo electrónico falseando el remitente.

Firewall: Literalmente significa muro de fuego aunque es más conocido como cortafuegos. Se trata de un sistema de seguridad que protege a una red interna de los accesos no autorizados a la misma desde el exterior. Las técnicas más utilizadas consisten en el filtrado de conexiones o paquetes y la instalación de servidores *proxy*.

Firma digital: Código encriptado que se adjunta al contenido de un documento que actúa como la firma tradicional en un documento impreso en papel. El sistema de firma electrónica o digital garantiza, por medio de algoritmos de clave pública, tanto la autenticidad e integridad del documento como la identidad de su autor.

Freeware: Software o programas gratuitos que los usuarios de la red pueden recibir gratuitamente, e incluso copiar y redistribuir.

FTP: Siglas inglesas de *File Transfer Protocol*. Protocolo de Transferencia de Ficheros. Conjunto de protocolos mediante el cual es posible el intercambio y transferencia de ficheros entre los distintos ordenadores que se conectan a un servidor. Es también el nombre del programa que se ejecuta para utilizar el protocolo.

F-serve: Prestación que permite el acceso al disco duro del propio ordenador a otros usuarios, para que puedan ver y vaciar determinados ficheros, una vez satisfechas unas condiciones previamente fijadas.

Gusano: Programa similar a un virus cuya única finalidad es la de ir consumiendo la memoria del sistema. La diferencia con los virus estriba en que mientras que los virus intentan infectar a otros programas copiándose dentro de ellos, los gusanos solamente realizan copias sucesivas de ellos mismos.

Hack Tv: Nombre con el que se conoce el empleo de tarjetas que emulan la función de las tarjetas originales de la compañía que suministra un canal o señal de televisión codificadas con el objetivo de recibir dicha señal sin necesidad de abonarse.

Hacker: El término *hacker* se utiliza para designar aquellas personas expertas en informática que entran en otras máquinas por razones

exclusivamente educativas o de diversión mientras que los intru-
sos con intenciones criminales o vandálicas tendrían reservado el
término *cracker*.

Hardware: Componentes físicos de un ordenador.

Header: Cabecera. Parte de un mensaje de correo electrónico que
contiene entre otros datos el nombre y dirección del remitente, la
fecha de envío del mensaje y los servidores por los que éste ha
pasado hasta llegar a su destino.

Host: Literalmente puede traducirse por *anfitrión*, sin embargo, en
castellano se utiliza la expresión *servidor*. Ordenador conectado a
Internet o a cualquier otra red que proporciona a otros ordenadores servicios tales como correo electrónico, alojamiento de páginas
web, servidor de archivos, etc.

Hot chat: Comunicación directa vía *Internet* entre dos o más usuarios
con contenido sexual explícito.

Hot line: Línea caliente. Con esta expresión se designan tanto servicios telefónicos de contenido erótico como líneas telefónicas que
funcionan durante las 24 horas del día y que proporcionan consejo
y ayuda ante diversos problemas como la violencia doméstica, el
abuso sexual de menores, virus informáticos, personas desapare-
cidas, etc...

HTML: Siglas inglesas de *Hypertext Markup Language*. Lenguaje de
Marcas de Hipertexto. Lenguaje de códigos utilizado para el diseño
y escritura de las páginas *web* que permite presentar en pantalla
texto, gráficos, sonido, secuencias de *vídeo* y programas.

HTTP: Siglas inglesas de *HyperText Transport Protocol*. Protocolo de
Transferencia de Hipertexto. Protocolo de comunicaciones usado
para la transferencia de documentos en formato HTML

IAP: Siglas inglesas de *Internet Access Provider*. Proveedor de acceso
a *Internet*. (IAP). Entidad que proporciona acceso a *Internet* a
través de una conexión telefónica, actuando como intermediario
entre ésta y el usuario final.

ID, UserID: Conjunto de caracteres que identifica al usuario de un
determinado servicio.

IMAP: Siglas de *Internet Messaging Acces Protocol*. Protocolo de
mensajería instantánea en *Internet*. Conjunto de normas utilizadas
para la recuperación de los mensajes de correo electrónico almacenados en un servidor.

INTERNET: Red de redes de ordenadores a escala mundial que
permite la transmisión de datos entre las máquinas conectadas a
ella gracias al protocolo de comunicaciones *TCP/IP*.

INTRANET: Se llaman así las redes similares a *Internet* pero de uso
interno o privado, por ejemplo, la red corporativa de una empresa
que utilizara protocolo *TCP/IP* y servicios similares a los de la Web.

IP: Siglas inglesas de *Internet Protocol*. Protocolo de *Internet*. Conjunto de normas que regulan la transmisión de paquetes de datos a través de *Internet*.

IRC: Siglas inglesas de *Internet Relay Chat* o Canal de Charla en *Internet*. Protocolo mundial que permite mantener conversaciones escritas, en tiempo real, entre varios usuarios conectados a un canal de comunicaciones disponible en *Internet*.

ISP: Siglas de *Internet Service Provider*. Proveedor de servicios de *Internet* o IPS. Entidad que proporciona acceso a *Internet* y, en ocasiones, servicios adicionales como alojamiento de páginas *web*, servicios de correo electrónico, etc.

Java: Lenguaje de programación desarrollado por Sun Microsystems para la elaboración de aplicaciones capaces de descargarse y ejecutarse en cualquier ordenador conectado a *Internet*.

Junkmail: Envío masivo de propaganda a través del correo electrónico. Ver *Spam*.

Kernel: Núcleo de un sistema operativo.

LAN: Siglas de *Local Area Network*: Red de área local. Una red puede ser definida como un conjunto de ordenadores conectados entre sí con el fin de compartir recursos e información. Según el espacio que abarquen o la distancia a la que se encuentren los ordenadores que integran una red, se suele distinguir entre **LAN** (red de área local) y **WAN** (red de área amplia).

Link: Enlace. Marcador hipertexto que al hacer click sobre el mismo permite saltar a otra información, documento o archivo contenido en el mismo sitio web o en otro distinto.

Linux: Sistema operativo compatible con Unix totalmente gratuito y de libre distribución pues junto al sistema operativo se suministra el código fuente tanto del núcleo como de los *drivers* y herramientas de desarrollo y aplicaciones. Es un sistema utilizado por muchos servidores de bases de datos y servidores web.

Macros: Conjunto de instrucciones que ejecutan una función automáticamente dentro de un programa.

Mailbomb: Acción consistente en inundar una dirección de correo electrónico con gran número de mensajes con la intención de colapsarla.

Mailbox: Buzón; fichero o directorio donde se guardan los mensajes de correo electrónico.

MailFilter: Programa que permite al usuario seleccionar los mensajes de correo electrónico según la información que figura en su cabecera.

Malware: Nombre genérico que se utiliza para designar aplicaciones informáticas que contienen códigos maliciosos de programación, como virus, gusanos, etc.

Mirror: Servidor web cuyo contenido es una copia exacta de otro servidor. Este tipo de servidores sirven para reducir el tiempo de acceso del usuario a servidores muy visitados, especialmente aquellos que permiten la descarga de archivos, evitando su sobrecarga.

Mockingbird: Programa que intercepta las comunicaciones entre los usuarios de un servidor y éste con el objetivo de conseguir información acerca de sus Ids y passwords de acceso.

Módem: Abreviatura de *Modulator/Demodulator*. (Modulador/ Demodulador). Dispositivo que adapta las señales digitales para su transmisión a través de una línea analógica posibilitando la conexión de un ordenador a la línea telefónica y la transmisión de datos a través de ella.

Morphing: Función de algunos programas de animación y diseño gráfico que permite obtener una imagen a partir de otra de forma que parezca que la imagen original muta hasta convertirse en la nueva.

MPEG: Siglas de *Motion Picture Experts Group*. Grupo de expertos en Imagen en movimiento. Formato de codificación digital de imágenes en movimiento.

MP3: Siglas de *MPEG Audio Layer-3*. Estrato de Audio 3 de MPEG. Formato de compresión de audio digital que permite reducir el tamaño de los ficheros de audio a un décimo de su tamaño original manteniendo una calidad de sonido similar a la ofrecida por el CD.

MP4: Formato de comprensión de vídeo y audio digital que permite llevar el vídeo a aplicaciones de *Internet* que se usan vía teléfono. El MP4 es utilizado para comprimir el contenido de un DVD en un solo CD mediante el Div-x.

Napster (Napster Comunity Music): Aplicación informática gratuita que conecta a sus usuarios entre si, a través de un conjunto de servidores, y les permite compartir los ficheros musicales en formato MP3 que tengan en sus ordenadores. Las sentencias judiciales y los acuerdos con Bertelsmann han propiciado un cambio radical en la orientación de Napster que ha dejado de ser una aplicación gratuita para convertirse en un portal musical, desde el cual es posible comprar todo tipo de canciones. Ante esta radical transformación han surgido nuevas aplicaciones como Gnutella o Audiogalaxy que siguiendo la inicial filosofía de Napster permiten el intercambio gratuito no sólo de ficheros MP3, sino de toda clase de software, documentos, vídeos e imágenes.

News: Grupos de noticias. Forma habitual de denominar a los foros de discusión abierta y al sistema de listas temáticas de correo mantenidas por Usenet.

Nodo: Normalmente, se refiere a cualquier punto de conexión a una red.

Nukear: Acción consistente en bloquear o causar trastornos a los ordenadores de otros usuarios valiéndose de *bugs* del sistema operativo o de los protocolos de comunicación.

On-line: En Línea. Expresión con la que se designa el hecho de estar conectado a una red.

Password: Clave formada por un conjunto de caracteres y reservada a un usuario que le permite acceder a determinados servicios.

PGP: Siglas inglesas del programa comercial *Pretty Good Privacy* (Privacidad bastante buena). Programa de criptografía de clave pública que permite el cifrado y firmado digital de ficheros y documentos impidiendo el acceso no autorizado a los mismos y garantizado tanto su autenticidad e integridad como autoría.

Phreaking: Conjunto de técnicas empleadas para crakear la red telefónica para, por ejemplo, poder realizar llamadas gratuitas a larga distancia.

POP3: Siglas de *Post Office Protocol*. Protocolo de oficina de correos. Conjunto de normas utilizadas para la recuperación de los mensajes de correo electrónico almacenados en un servidor.

Portal: Sitio web que ofrece a los usuarios variados recursos y servicios como buscadores, chats, foros de discusión, etc.

Proxy: Servidor que permite a varios ordenadores acceder a *Internet* a través de una única conexión física. El servidor *proxy* gestiona el tráfico entre *Internet* y una red privada interponiéndose entre el usuario y el servidor real. Al actuar como intermediario entre la red privada e *Internet* el *proxy* puede asegurar el acceso a determinados recursos o restringirlos, así como almacenar los contenidos que son más utilizados. De este modo, el *proxy* va almacenando toda la información que los usuarios reciben de la Web por lo que si otro usuario accede a través del *proxy* a un sitio previamente visitado, recibirá la información del servidor *proxy* en lugar del servidor real.

Rabbit: Programa que provoca procesos inútiles y se reproduce hasta que se agota la capacidad de la máquina.

RDSI: Red digital de Servicios Integrados. En inglés ISDN (*Integrated Services Digital Network*).

Remailer: Servicio de red que hace que el envío de un correo electrónico sea anónimo. Un remailer permite enviar mensajes de correo electrónico sin que el receptor sepa como se llama el emisor o cuál es su dirección de correo electrónico.

Root: Nombre que recibe la cuenta del usuario principal en sistemas Unix. Esta cuenta permite el acceso a todo el sistema, incluidas las cuentas de los demás usuarios.

Route: Dispositivo conectado a dos o más redes que distribuye el tráfico entre las mismas.

Shareware: Aplicación informática que se distribuye gratuitamente. Se trata de una versión de evaluación, que suele estar limitada en algún aspecto. Si la aplicación parece satisfactoria al usuario que la prueba, debe entonces pagar al autor, y a cambio recibe una versión de la aplicación sin ninguna limitación.

Sitio web: Ver *Website*.

Snail-mail: Término despectivo con el que se conoce en el argot informático a los servicios postales ordinarios y, por extensión, al correo que se distribuye a través de ellos.

Sniffer: Literalmente significa «Husmeador». Como su nombre indica, es un dispositivo encargado de interceptar la información que circula por una red informática buscando una cadena numérica o de caracteres en los paquetes que atraviesan un nodo.

Software: Conjunto de programas y aplicaciones informáticas que hacen funcionar a un ordenador o en ellos se ejecutan.

Spam: Se denomina así al envío masivo de propaganda publicitaria no solicitada a través del correo electrónico. También conocido como *junk mail*.

Superzapping: Es el uso no autorizado de un programa para modificarlo, destruirlo, copiarlo, introducir datos, usarlo, o impedir la utilización de la información contenida en él.

Sysop: Abreviatura de *Sytem Operating* u Operador del sistema. Nombre que recibe el administrador de una *BBS*.

TCP/IP: Siglas de *Transmission Control Protocol/Internet Protocol*. Es el protocolo de comunicaciones estándar que regula el tránsito de paquetes de datos a través de *Internet*.

Telnet: Abreviatura de *Tele Network*. Protocolo de comunicaciones para la emulación de terminales que permite acceder a otro ordenador de la Red con el fin de administrar o realizar distintas tareas de forma remota.

Touched up: Se denominan así aquellas fotografías, imágenes o archivos gráficos que han sido alterados digitalmente. Aplicaciones informáticas de este tipo suelen utilizarse para la elaboración de materiales pornográficos en los que los sujetos aparentan, mediante la alteración de sus rasgos, ser menores de edad.

Unix: Sistema operativo multitarea y multiusuario muy utilizado en entornos de *Internet*.

Usenet: Abreviatura de *User Network*. Red de usuarios. Conjunto de grupos de noticias y foros de discusión de todo el mundo a los que puede accederse a través de *Internet* o de otros servicios en línea.

Virus: Programa o secuencia de instrucciones y rutinas creadas con el único objetivo de alterar el correcto funcionamiento del sistema y, en la inmensa mayoría de los casos, corromper o destruir parte o la totalidad de los datos almacenados en discos duros o disquetes. Dentro del término genérico «virus informático» se suelen englobar varios tipos de programas, como las bombas lógicas, caballos de Troya, gusanos y los virus puros. Estos últimos son programas o porciones de código de programación cuyo objetivo es implementarse en un archivo ejecutable y multiplicarse sistemáticamente infectando otros programas hasta que en un momento determinado o bajo determinadas circunstancias se ejecute la acción para la que fueron diseñados. Esta acción puede ir desde la simple aparición de un mensaje en pantalla hasta la destrucción de toda la información contenida en el sistema. Los diferentes virus que existen se pueden clasificar, dependiendo del medio a través del cual realizan su infección y las técnicas utilizadas para realizarla, en virus de fichero, virus de *boot*, virus de macros y virus de enlace o de directorio.

WAN: Siglas inglesas de *Wide Area Network*. Red de área amplia.

WAP: Siglas inglesas de *Wireless Application Protocol*. Protocolo de comunicaciones diseñado para que se pueda acceder desde teléfonos móviles a algunos de los servicios que proporciona *Internet*.

War Dialer: También conocido como Discador, es un programa que escanea la línea telefónica en busca de modems.

Warez: Programas comerciales que han sido sometidos a la acción del crack correspondiente.

Webcam: Cámara utilizada para la transmisión de imágenes a través de la Web.

Webmaster: Persona responsable de la administración y mantenimiento de un sitio web.

Web páginas: Páginas que utilizando el lenguaje HTML presentan información diversa en forma de texto, gráficos, sonido o secuencias de vídeo y enlazan, a su vez, con otras páginas que tengan información relacionada con ellas.

Website: Sitio web. Conjunto de páginas web que comparten una misma dirección.

WWW: siglas inglesas de *World Wide Web* (Telaraña o malla mundial); con este nombre se conoce al conjunto de todas las páginas web integradas en *Internet*.

Para más información sobre la terminología utilizada en *Internet* resulta de interés consultar *The Jargon File, version 4.2.0, 31 JAN 2000* disponible en World Wide Web: http:// watson-net.com/jargon.

JURISPRUDENCIA CITADA

Tribunal Constitucional:

- STC 73/1982, de 2 de diciembre
- STC 110/1984, de 26 de noviembre
- STC 257/1985, 17 de abril
- ATC 642/1986, de 23 de julio
- STC 231/1988, de 2 de diciembre
- STC 142/1993, de 22 de abril
- STC 254/1993, de 20 de julio
- STC 143/1994, de 9 de junio
- STC 11/1998, de 13 de enero
- STC 94/1998, de 4 de mayo
- STC 104/1998, de 18 de mayo
- STC 44/1999, de 22 de marzo
- STC 290/2000, de 30 de noviembre
- STC 292/2000, de 30 de noviembre

Delitos contra la intimidad

Descubrimiento y revelación de secretos e interceptacion de telecomunicaciones

Tribunal Supremo:

- STS 8 de marzo de 1974 —Ar.1231—
- STS 10 de septiembre de 1997 —Ar.6375—
- STS 29 de septiembre de 1998 —Ar.6974—
- STS 18 de febrero de 1999 —Ar.510—
- STS 5 de julio de 1999 —Ar.3628—
- STS 31 de julio de 1999 —El Der., 1999/8578—
- STS 14 de julio de 2000 —El Der., 2000/18351—
- STS 14 de septiembre de 2000 —El Der., 2000/27681—
- STS 9 de octubre de 2000 —El Der., 2000/30252—
- STS 22 de marzo de 2001 —El Der., 2001/1409—
- STS 4 de abril de 2001 —El Der., 2001/3341—
- STS 14 de mayo de 2001 —El Der., 2001/4722—

Audiencias:

- SAP de Asturias, 27 de julio de 1998 —Ar.4821—
- SAP de Málaga, de 2 de marzo de 1999 —Ar.1163—
- SAP de Huesca, 15 de marzo de 1999 —Ar.2712—
- SAP de Alicante, 22 de marzo de 1999 —Ar.612—
- SAP de Alicante, 22 de marzo de 1999 —El Der., 1999/10834—

- SAP de Valencia, 14 de mayo de 1999 —Ar.2093—
- SAP de Madrid, 19 de junio de 1999 —LL 79/1999—
- SAP de Navarra, 27 de julio de 1999 —Ar.2857—
- SAP de Ciudad Real, 25 de noviembre de 1999 —Ar.4684—
- SAP de La Rioja, de 3 de diciembre de 1999 —Ar.5447—
- SAP de Las Palmas, 3 de diciembre de 1999 —El Der., 1999/53604—
- SAP de Huesca, 27 de enero de 2000 —LL 161/1999—
- SAP de Lérida, 28 de febrero de 2000 —El Der., 2000/1992—

Tribunales Superiores de Justicia

- TSJ Valencia, 17 de junio de 1999. —El Der., 1999/26659—

Delitos contra la propiedad

Estafas cometidas por medios informáticos

Tribunal Supremo:

- STS 10 de junio de 1986 —Ar.3131—
- STS 25 de abril de 1996 —Ar.2995—
- STS 2 de abril de 1998 —Ar.3762—
- STS 30 de octubre de 1998 —Ar.8566—
- STS 16 de diciembre de 1998 —Ar.10349—
- STS 22 de diciembre de 1998 —Ar.10324—
- STS 27 de enero de 1999 —Ar.830—
- STS 16 de marzo de 1999 —Ar.1442—
- STS 29 de abril de 1999 —Ar.4127—
- STS 22 de septiembre de 2000 —El Der., 2000/29737—

Audiencias:

- SAP de Huesca, 24 de noviembre de 1995 —Ar.1307—
- SAP de Zaragoza, 4 de marzo de 1997 —Ar.310—
- SAP de Baleares, 24 de octubre de 1997 —Ar.1469—
- SAP de Tarragona, 8 de junio de 1998 —Ar.3062—
- SAP de Las Palmas, 19 de octubre de 1998 —Ar.4613—
- SAP de Almería, 27 de marzo de 1999 —Ar.1621—
- SAP de Madrid, 21 de abril de 1999 —Ar.2047—

Daños informáticos

Tribunal Supremo:

- STS 22 de diciembre de 1959 —Ar.4799—
- STS 29 de enero de 1983 —Ar.74—
- STS 7 de noviembre de 1986 —Ar.6813—

Defraudaciones del fluido eléctrico

Tribunal Supremo:

– STS 5 de octubre de 1981
– STS 26 de marzo de 1982
– STS 27 de marzo de 1993

Delitos contra la propiedad intelectual

Tribunal Supremo:

– STS 14 de noviembre de 1934 —JC, tomo 131, 1934, núm. 211, págs.584 y ss.—
– STS 13 de octubre de 1988 —Ar.7912—
– STS 28 de mayo de 1992 —Ar.4394—
– STS 4 de junio de 1992 —Ar.5446—
– STS 26 de septiembre de 1992 —Ar.7356—
– STS 19 de julio de 1993 —Ar.6308—
– STS 23 de mayo de 1994 —Ar.3946—
– STS 28 de enero de 1995 —Ar.387—
– STS 7 de febrero de 1997 —Ar.661—
– STS 14 de marzo de 1997 —Ar.2326—
– STS 16 de mayo de 1998 —Ar.4878—

Audiencias Provinciales:

– SAP de Burgos, 15 de julio de 1997 —Ar.1098—
– SAP de Orense, 16 de febrero de 1998 —Ar.523—
– SAP de Baleares, de 31 de marzo de 1998 —Ar.2054—
– SAP de Barcelona, 3 de junio de 1998 —Ar.3586—
– SAP de Madrid, 10 de junio de 1999 —Ar.3354—
– SAP de Madrid, 13 de septiembre de 1999 —Ar.4630—
– SAP de Barcelona, 26 de octubre de 1999 —Ar.3362—
– SAP de Madrid, 3 de octubre de 2000

Delitos relativos al mercado y a los consumidores

Tribunal Supremo:

– STS 24 de abril de 1989 —El Der., 1989/4329—
– STS 14 de septiembre de 2000 —El Der., 2000/27681—

Audiencias Provinciales:

– SAP de Alicante, 19 de diciembre de 1998 —Ar.4400—
– SAP de Granada, 20 de mayo de 2000, —El Der., 29677—
– SAP de Granada, 28 de octubre de 2000, —El Der., 55539—
– SAP de Málaga, 2 de enero de 2001, —El Der., 1176—

- SAP de Madrid, 28 de abril de 1999 —El Der., 1999/19152—
- SAP de Zaragoza, 3 de diciembre de 1999 —El Der., 1999/51806—
- SAP de Vizcaya, de 19 de abril de 2000 —El Der., 2000/33224—

Delito de amenazas

Tribunal Supremo:

- STS 20 de mayo de 1944
- STS 30 de enero de 1956
- STS 13 de mayo de 1980
- STS 2 de febrero de 1981
- STS 25 de junio de 1981
- STS 27 de noviembre de 1981
- STS 7 de diciembre de 1981
- STS 13 de diciembre de 1982
- STS 9 de octubre de 1984
- STS 30 de octubre de 1985
- STS 20 de enero de 1986
- STS 18 de septiembre de 1986
- STS 13 de febrero de 1989
- STS 30 de marzo de 1989
- STS 23 de mayo de 1989
- STS 3 de julio de 1989
- STS 11 de septiembre de 1989
- STS 23 de abril de 1990
- STS 28 de diciembre de 1990
- STS 19 de septiembre de 1994
- STS 18 de noviembre de 1994
- STS 27 de enero de 1995
- STS 13 de mayo de 1995
- STS 20 de noviembre de 1996
- STS 21 de enero de 1997
- STS 26 de febrero de 1999
- STS 28 de diciembre de 1999
- STS 24 de enero de 2000

Delitos contra la libertad sexual

Tribunal Supremo:

- STS 22 de marzo de 1983
- STS 9 de diciembre de 1985
- STS 26 de octubre de 1986
- STS 5 de febrero de 1991
- STS 24 de marzo de 1997
- STS 10 de abril de 1997

– STS 16 de febrero de 1998 —Ar.1051—
– STS 21 de marzo de 2000 —Ar.2385—
– STS 10 de octubre de 2000
– STS 24 de octubre de 2000

Audiencias Provinciales:

– SAP de Asturias de 24 de junio de 1999

Delitos contra el honor

Delito de calumnia:

Tribunal Supremo:

– STS 19 de junio de 1991
– STS 23 de junio de 1993
– STS 1 de febrero de 1995
– STS 17 de noviembre de 1995
– STS 17 de mayo de 1996
– STS 17 de junio de 1997

Delito de injurias:

Audiencias Provinciales:

– SAP de Valladolid, de 19 de octubre de 1999
– SAP de Lérida, de 7 de abril de 2000

Delito de falsedades

Concepto y clases de documento:

Tribunal Supremo:

– STS 26 de octubre de 1988
– STS 8 de noviembre de 1990
– STS 5 de mayo de 1992
– STS 23 de diciembre de 1992
– STS 16 de marzo de1993
– STS 6 de octubre de 1993
– STS 10 de noviembre de 1993
– STS 17 de febrero de 1997
– STS 31 de mayo de 1997
– STS 3 de noviembre de 1997 (Sala de lo contencioso)
– STS 30 de junio de 1998
– STS 27 de julio de 1998
– STS 22 de enero de 1999
– STS 10 de marzo de 199
– STS 10 de mayo de 1999 —Ar.4971—

- STS 9 de junio de 1999 —Ar.3881—
- STS 20 de marzo de 2000
- STS 25 de abril de 2000 —Ar-5190—

Audiencias Provinciales:

- SAP Santa Cruz de Tenerife, 17 de marzo de 1998 —Ar.1158—
- SAP Cádiz, 17 de mayo de 1999 —Ar. 4310—
- SAP Madrid, 3 de octubre de 2000 —El Der., 2000/52661—

Falsedad documental:

Tribunal Supremo:

- STS 22 de mayo de 1963
- STS 4 de marzo de 1975
- STS 28 de mayo de 1982
- STS 12 de diciembre de 1991
- STS 15 de julio de 1992
- STS 2 de diciembre de 1994
- STS 4 de diciembre de 1994
- STS 27 de abril de 1995
- STS 28 de septiembre de 1995
- STS 30 de octubre de 1998 —Ar.8566—
- STS 11 de enero de 1999
- STS 22 de enero de 1999
- STS 10 de marzo de 1999
- STS 12 de marzo de 1999
- STS 25 de marzo de 1999 —Ar.2053—
- STS 25 de mayo de 1999 —Ar.5986—
- STS 3 de marzo de 2000
- STS 14 de abril de 2000
- STS 2 de diciembre de 2000 —El Der., 2000/43872—

BIBLIOGRAFÍA

- M. Albaladejo: Derecho civil III —derecho de bienes—, vol.I, editorial Bosch, Barcelona, 1983.
- D. Alonso Blas: «La aplicación de la Directiva europea de protección de datos en España: reformas necesarias en la LORTAD», en Informática y Derecho (coordinado por M.A. Davara Rodríguez), editorial Aranzadi, Madrid, 1996-1997.
- A. Alonso Rimo: Víctima del delito y limitaciones al ejercicio del *ius puniendi* estatal: las infracciones no perseguibles de oficio y el perdón del ofendido» (en prensa).
- J.M. Álvarez-Cienfuegos Suárez: «La libertad informática, un nuevo derecho fundamental en nuestra Constitución», en La Ley, 2001-1.
- A. Andrés Domínguez: «Los daños informáticos en la Unión europea», en La Ley, 1999.
- L. Arroyo Zapatero/K. Tiedemann: Estudios de Derecho Penal económico, Ediciones de la Universidad de Castilla-La mancha, 1994.
- M. Bajo Fernández: «Protección del honor y de la intimidad», en Revista de Derecho Público, Tomo I, 1982.
- M. Bajo Fernández/J. Díaz-Maroto y Villarejo: Manual de Derecho Penal. Parte especial, Editorial Centro de Estudios Ramón Areces, Madrid, 1995.
- M. Bajo Fernández/S. Bacigalupo: Derecho penal económico, CEURA, 2001.
- R. Baón Ramírez: «Visión general de la informática en el nuevo Código penal», en Ámbito jurídico de las tecnologías de la información, Cuadernos de Derecho Judicial, 1996.
- J.L. Barja de Quiroga/C. Pérez del Valle, en Código penal —doctrina y jurisprudencia— (dirigido por C. Conde-Pumpido Ferreiro/J.L. Albácar López), editorial Trivium, Madrid, 1997.
- J. Boix Reig/A. Jareño Leal, en Comentarios al Código penal de 1995, editorial Tirant lo Blanch, 1996.
- J. Boix Reig/E. Orts Berenguer: «Consideraciones sobre la reforma de los delitos contra la libertad sexual por la ley orgánica 11/1999, en Libro Homenaje al profesor doctor don José Manuel Valle Muñiz, editorial Aranzadi, 2001.
- F. Bondía Román: «La titularidad de los derechos sobre el *softward* en la Ley 16/1993», en: Informática y Derecho (coordinado por M.A. Davara Rodríguez), editorial Aranzadi, Madrid, 1996-1997.
- J. Bonilla Blasco: «Conflictos derivados de la falta de regulación», publicado en el diario El País, del 10 de diciembre de 2000.
- F. Bueno Arús: «El delito informático», en Actualidad Aranzadi, abril-1994.
- J.C. Carbonell Mateu, en Derecho Penal. Parte especial, editorial Tirant lo Blanch, Valencia, 1999.

- J.C. Carbonell Mateu/J.L. González Cussac, en Comentarios al Código penal de 1995, editorial Tirant lo Blanch, Valencia, 1996.
- J.C. Carbonell Mateu/J.L. González Cussac, en Derecho Penal. Parte especial, editorial Tirant lo Blanch, Valencia, 1999.
- C. Carmona Salgado: «Responsabilidad civil», en Comentarios a la Legislación Penal, tomo XIII, editorial Revista de Derecho Privado, Madrid, 1991.
- C. Carmona Salgado: «La nueva ley de propiedad intelectual». Montecorvo, Madrid, 1988.
- M. Carrillo: «Correo electrónico y derechos fundamentales», publicado en el diario El País, del 10 de diciembre de 2000.
- R. Cercos Pérez: «Protección jurídica de los programas de ordenador», en Ámbito jurídico de las tecnologías de la información, Cuadernos de Derecho Judicial, 1996.
- M. Cobo del Rosal: «Sobre el apoderamiento documental para descubrir los secretos de otro (párrafo segundo del artículo 497 del Código penal)», en Anuario de Derecho Penal y Ciencias Penales, tomo XXIV, 1971.
- C. Conde-Pumpido Ferreiro, en Código penal —doctrina y jurisprudencia— (dirigido por C. Conde-Pumpido Ferreiro/J.L. Albácar López), editorial Trivium, Madrid, 1997.
- M. Corcoy: «Protección penal del sabotaje informático. Especial consideración de los delitos de daños», en Delincuencia informática (compilado por S. Mir Puig), editorial PPU, Barcelona, 1992.
- M. Corcoy: «Legislación penal sobre protección de la criminalidad en distintos países europeos», en Delincuencia informática (compilado por S. Mir Puig), editorial PPU, Barcelona, 1992.
- G. Dannecker/C. Bascón Granados: «Sanciones contra la violación de los derechos de autor en las bases de datos», en Poder Judicial, núm. 53, 1999.
- M.A. Davara Rodríguez: Manual de Derecho Informático, Aranzadi, Pamplona, 1997.
- J. Díaz-Maroto y Villarejo: «Los delitos contra la intimidad, la propia imagen y la inviolabilidad del domicilio», en La Ley, 1996-4.
- P. Faraldo Cabana: «Los delitos societarios». Tirant lo Blanch, Valencia, 1996.
- J.M. Fernández López: «La nueva Ley de Protección de Datos de Carácter Personal», en Actualidad Aranzadi, enero-2000.
- R. Fernández Palma/O. Morales García: «El delito de daños informáticos y el caso Hispahack», en La Ley, 2000-1.
- M.D. Fernandez Rodríguez: El chantaje, en PPU, 1995.
- Fiscalía General del Estado: «Tratamiento automatizado de datos personales en el ámbito de las telecomunicaciones» (Consulta 1/1999), en La Ley, 1999.
- W. Freund: Die Strafbarkeit von Internetdelikten, editorial Universitaria, Wien, 1998.

- F. Galindo: «La normativa sobre *Internet* existente en España», en La Ley, 2001-1.
- J.A. Gisbert Calabuig: Medicina legal y toxicología, quinta edición, editorial Masson, S.A., Barcelona, 1998.
- J.M. Gómez Benítez/G. Quintero Olivares: Protección penal de los derechos de autor y conexos, editorial Cívitas, Madrid, 1988.
- J.J. González Rus, en Curso de Derecho Penal español. Parte especial (dirigido por M. Cobo del Rosal), editorial Marcial Pons, Madrid, 1996.
- R. Günter: Computer Kriminalität, bhv, 1998.
- M.L. Gutiérrez Francés: Fraude informático y estafa, Centro de publicaciones del Ministerio de Justicia, Madrid, 1991.
- M.L. Gutiérrez Francés: «Delincuencia económica e informática en el nuevo Código penal», en Ámbito jurídico de las tecnologías de la información, Cuadernos de Derecho Judicial, 1996.
- E. Hilgendorf: «Grundfalle zum Computerstrafrecht», en Juristische Schulung, 1997.
- A. Jareño Leal: «Las amenazas y el chantaje en el Código penal de 1995», editorial Tirant lo Blanch, Valencia, 1997.
- A. Jareño Leal/A. Doval Pais: «Revelación de daños personales, intimidad e informática» (Comentario a la STS 234/1999, de 18 de febrero, sobre el delito del artículo 197.2 CP), en La Ley, 1999.
- L. Jordana de Pozas, en Código penal —doctrina y jurisprudencia— (dirigido por C. Conde-Pumpido Ferreiro/J.L. Albácar López), editorial Trivium, Madrid, 1997.
- V. Latorre: «Protección penal del Derecho de autor, Tirant lo Blanch, 1994.
- D.M. Luzón Peña: «Protección penal de la intimidad y derecho a la información», en Anuario de Derecho Penal y Ciencias Penales, tomo XLI, 1988.
- J.J. Martín-Casallo López: «Implicaciones de la Directiva sobre protección de datos en la normativa española», en Informática y Derecho (coordinado por M.A. Davara Rodríguez), editorial Aranzadi, Madrid, 1996-1997.
- C. Martínez-Buján Pérez, en Comentarios al Código penal de 1995, editorial Tirant lo Blanch, Valencia, 1996.
- C. Martínez-Buján Pérez: Derecho Penal económico. Parte especial, editorial Tirant lo Blanch, Valencia, 1999.
- M. Martínez Sánchez: «Reglamento de medidas de seguridad de ficheros automatizados que contengan datos de carácter personal», en Actualidad Informática Aranzadi, 2000.
- N. Matellanes Rodríguez: «Algunas notas sobre las formas de delincuencia informática en el Código penal», en Hacia un Derecho Penal sin fronteras (coordinado por M.R.Diego Díaz-Santos/V. Sánchez López), editorial Cólex, Madrid, 2000.
- V. Militello: «Iniciativas supranacionales en la lucha contra la criminalidad organizada y el blanqueo en el ámbito de las nuevas tecnologías», en Derecho penal, sociedad y nuevas tecnologías, (coordinado por L.

Zúñiga Rodríguez/C.Méndez Rodríguez/M.R. Diego Díaz-Santos), editorial Colex, Madrid, 2001.
- M. Möhrenschlager: «Computer crimes and other crimes against information Technology in Germany», en U. Sieber (editor): Information technology crime, editorial C. Heymanns, Köln, 1994.
- M.L. Montón García: «Derecho al honor, intimidad y propia imagen: protección civil y su conflicto con las libertades de información y expresión», en La Ley, 1995-1.
- O. Morales García: «Malversación, estafa informática y falsedad en documento electrónico. Algunas reflexiones sobre la STS de 30 de octubre de 1998», en Libro Homenaje al profesor doctor don José Manuel Valle Muñiz, editorial Aranzadi, 2001.
- F. Morales Prats: La tutela penal de la intimidad: Privacy e informática, Ediciones Destino, colección Nuevo Derecho, Barcelona, 1984.
- F. Morales Prats: «La protección penal de la intimidad frente al uso ilícito de la informática en el Código penal de 1995», en Delitos contra la libertad y la seguridad, 1996.
- F. Morales Prats, en Comentarios al nuevo Código penal (dirigidos por Quintero Olivares), editorial Aranzadi, Pamplona, 1996.
- F. Morales Prats, en Comentarios a la parte especial del Derecho Penal (dirigidos por G. Quintero Olivares), editorial Aranzadi, Pamplona, 1999.
- F. Morales Prats: «La intervención penal en la red. La represión penal del tráfico de pornografía infantil: Estudio particular», en Derecho penal, sociedad y nuevas tecnologías, (coordinado por L. Zúñiga Rodríguez/C.Méndez Rodríguez/M.R. Diego Díaz-Santos), editorial Colex, Madrid, 2001.
- F. Morales Prats/E. Morón Lerma, en Comentarios al nuevo Código penal (dirigidos por Quintero Olivares), editorial Aranzadi, Pamplona, 1996.
- E. Morón Lerma: Internet y Derecho Penal: Hacking y otras conductas ilícitas en la red, editorial Aranzadi, Pamplona, 1999.
- E. Morón Lerma: «Intención del agresor y ataque a la intimidad», en Libro Homenaje al profesor doctor don José Manuel Valle Muñiz, editorial Aranzadi, 2001.
- F. Muñoz Conde: Derecho Penal. Parte especial, editorial Tirant lo Blanch, Valencia, 1999.
- E. Orts Berenguer: «Revelación y uso indebido de secretos e informaciones», en Cuadernos de Derecho Judicial, marzo-1994.
- E. Orts Berenguer: «Propiedad intelectual, nuevas tecnologías y Derecho Penal», en Los derechos de propiedad intelectual en la nueva sociedad de la información, editorial Comares, Granada, 1998.
- E. Orts Berenguer, en Derecho Penal. Parte especial, editorial Tirant lo Blanch, Valencia, 1999.
- E. Orts Berenguer/A. Alonso Rimo: La reforma de los delitos contra la libertad sexual, Congreso Universidad de Salamanca, 2001.

– M. Polaino Navarrete, en Curso de Derecho Penal español. Parte especial (dirigido por M. Cobo del Rosal), editorial Marcial Pons, Madrid, 1996.

– J.M. Prats: «Descubrimiento y revelación de secretos en el Código penal», en Delitos contra la libertad y la seguridad, Cuadernos de Derecho Judicial, 1996.

– G. Quintero Olivares, en Comentarios al nuevo Código penal (dirigidos por Quintero Olivares), editorial Aranzadi, Pamplona, 1996.

– G. Quintero Olivares, en Comentarios a la parte especial del Derecho Penal (dirigidos por G. Quintero Olivares), editorial Aranzadi, Pamplona, 1999.

– G. Rodríguez Mourullo y otros: Comentarios al Código penal, editorial Cívitas, 1997.

– M. Roig Torres: La reparación del daño causado por el delito, editorial Tirant lo Blanch, Valencia, 2000.

– C.M. Romeo Casabona: Poder informático y seguridad jurídica, Fundesco, 1987.

– C.M. Romeo Casabona: «Los delitos de daños en el ámbito informático», en Cuadernos de Política Criminal, núm.43, 1991.

– C.M. Romeo Casabona: «Tendencias actuales sobre las formas de protección jurídica ante las nuevas tecnologías», en Poder Judicial, núm.31, 1993.

– A. Roßnagel: «Elektromische Signaturen in Europa», en Multimedia und Recht, 1998-1.

– F. Ruiz Marco: «Los delitos contra la intimidad» (especial referencia a los ataques cometidos a través de la informática), editorial Colex, Madrid, 2001.

– C. Ruiz Miguel: «El derecho a la intimidad informática en el ordenamiento español», en Revista General de Derecho, 1995.

– U. Sieber: «Criminalidad informática: peligro y prevención», en S. Mir Puig (Comp.): Delincuencia informática, editorial PPU, Barcelona, 1992.

– U. Sieber: Documentación para una aproximación al delito informático», en Delincuencia informática (compilado por S. Mir Puig), editorial PPU, Barcelona, 1992.

– U. Sieber: «Strafrechtliche Verantwortlichkeit für den Datenverkehr in internationalen Computernetzen Neue Herausforderungen des Internet», en Juristen Zeitung, 1996.

– U. Sieber: «Kontrollmöglichkeiten zur Verchinderung rechtswidriger Inhalte in Computernetzen», en Computer Recht, 1997.

– U. Sieber: «Kriminalitätsbekämpfung und freie Datenkommunikation im Internet», en Multimedia und Recht, 1998-1.

– U. Sieber: «New Trends in the international risk and information society», en Computer crime and criminal law, 1999.

– G. Taddei Elmi/R. Ortu/P.Cifaldi: «La Raccomandazione del Consiglio d'Europa del 9 settembre 1989 n. R (89)-9 e la Legge 23 diciembre 1993 n.547 in materia di *computer crimes:* una analisi comparativa», en Informatica e Diritto, 1996.

– J.M. Valle Muñiz, en Comentarios al nuevo Código penal (dirigidos por Quintero Olivares), editorial Aranzadi, Pamplona, 1996.

– K. Tiedemann: «Griminalidad informática y Derecho penal», en Derecho penal y nuevas formas de criminalidad, editorial Idemsa, Perú, 2000.

– J.M. Valle Muñiz, en Comentarios a la parte especial del Derecho Penal (dirigidos por G. Quintero Olivares), editorial Aranzadi, Pamplona, 1999

– J. Vidal-Beneyto: «El crimen global», publicado en el diario El país.

– C. Vidales Rodríguez: «Los delitos de receptación y legitimación de capitales, en el Código penal de 1995», Tirant lo Blanch, Valencia, 1997.

– C. Villacampa Estiarte: La falsedad documental: análisis jurídico penal. CEDECS, Barcelona, 1999.

– A. Viguri Perea: «Intimidad *versus* informática. La protección de datos personales: perspectiva desde el Derecho comparado», en La Ley, 1999.

– T.S. Vives Antón/J.L. González Cussac, en Comentarios al Código penal de 1995, editorial Tirant lo Blanch, Valencia, 1996.

– T.S. Vives Antón/J.L. González Cussac, en Derecho Penal. Parte especial, editorial Tirant lo Blanch, Valencia, 1999.

OTROS TÍTULOS DE ESTA COLECCIÓN

1. LAS AMENAZAS Y EL CHANTAJE EN EL CÓDIGO PENAL DE 1995
   Angeles Jareño Leal
2. EL DELITO DE DESOBEDIENCIA A LA AUTORIDAD
   Carmen Juanatey Dorado
3. LOS DELITOS DE RECEPTACIÓN Y LEGITIMACIÓN DE CAPITALES EN EL CÓDIGO PENAL DE 1995
   Caty Vidales Rodríguez
4. FALSEDADES DOCUMENTALES
   Mª del Carmen García Cantizano
5. PRINCIPALES NOVEDADES DE LOS DELITOS DE OMISIÓN EN EL CÓDIGO PENAL DE 1995
   Susana Huerta Tocildo
6. EL DELITO DE PREVARICACIÓN DE AUTORIDADES Y FUNCIONARIOS PÚBLICOS
   José Luis González Cussac
7. ESTAFAS
   Cándido Conde-Pumpido Ferreiro
8. LOS DELITOS DE LESIONES
   José Luis Díez Ripollés
9. EL DELITO URBANÍSTICO
   Gabriel Garcías Planas
10. APROPIACIONES INDEBIDAS
    Cándido Conde-Pumpido Ferreiro
11. EL ENCUBRIMIENTO
    Pablo Sánchez-Ostiz Gutiérrez
12. LOS DELITOS DE ALZAMIENTO DE BIENES
    Tomás S. Vives Antón
    José Luis González Cussac
13. LOS DELITOS SOCIETARIOS EN EL CÓDIGO PENAL DE 1995
    Bernardo del Rosal Blasco
14. EL DELITO DE HURTO
    Mercedes García Arán
15. LOS DELITOS CONTRA LOS DERECHOS DE LOS TRABAJADORES
    Fernando Navarro Cardoso
16. EL DELITO DE ROBO CON FUERZA EN LAS COSAS
    Rosario de Vicente Martínez
17. EL DELITO DE COACCIONES EN EL CÓDIGO PENAL DE 1995
    Vicenta Cervelló Donderis
18. DETENCIONES ILEGALES
    Carlos Climent Durán
19. ACUSACIÓN Y DENUNCIA FALSAS
    Mª Luisa Maqueda Abreu
20. LOS DELITOS CONTRA LA INTEGRIDAD MORAL
    Juan Muñoz Sánchez
21. LOS DELITOS CONTRA LA SEGURIDAD DE MENORES E INCAPACES
    José Luis Díez Ripollés
22. EL DELITO DE MALVERSACIÓN
    Rafael Entrena Fabré
23. EL DELITO DE PUBLICIDAD FRAUDULENTA
    Borja Mapelli Caffarena
24. DELITOS CONTRA EL MEDIO AMBIENTE
    Jesús-María Silva Sánchez
25. EL DELITO DE MALOS TRATOS EN EL ÁMBITO FAMILIAR
    Pastora García Álvarez
    Juana del Carpio Delgado
26. LA REVELACIÓN DEL SECRETO DE ESTADO EN LOS PROCEDIMIENTOS PENALES
    Mª del Pilar Otero González
27. LOS DELITOS CONTRA LA HACIENDA PÚBLICA Y CON LA SEGURIDAD SOCIAL
    Javier Boix Reig
    Javier Mira Benavent
28. EL NUEVO DELITO DE ACOSO SEXUAL Y SU SANCIÓN ADMINISTRATIVA EN EL ÁMBITO LABORAL
    Esther Sánchez
    Elena Larrauri
29. EL DELITO DE QUIEBRA
    Adán Nieto Martín
30. LA COOPERACIÓN AL SUICIDIO Y LA EUTANASIA EN EL NUEVO C.P. (ART. 143)
    Carmen Tomás-Valiente Lanuza
31. EL DELITO DE REALIZACIÓN ARBITRARIA DEL PROPIO DERECHO EN EL CÓDIGO PENAL DE 1995
    Asunción Colás Turégano
32. EL DELITO SOCIETARIO DE ADMINISTRACIÓN DESLEAL
    Carlos Martínez-Buján Pérez
33. LA CIRCUNSTANCIA AGRAVANTE DE PREVALIMIENTO DEL CARÁCTER PÚBLICO
    Fernando Vázquez-Portomeñe Seijas
34. LOS DELITOS CONTRA LA LIBERTAD E INDEMNIDAD SEXUALES
    Enrique Orts Berenguer
    Carlos Suárez-Mira Rodríguez

35. Los delitos de abandono de familia e impago de pensiones
Patricia Laurenzo Copello

36. El tráfico sexual de personas
María Luisa Maqueda Abreu

37. Los delitos contra la salud pública
Ana Cristina Andrés Domínguez

38. La penalidad de las tentativas de delito
Antonio Doval Pais

39. La imprudencia médica
Esther Hava García

40. Delitos contra los derechos de los ciudadanos extranjeros
Mª José Rodríguez Mesa